B

IL EST TOUJOURS MINUIT QUELQUE PART

Cedric Lalaury

IL EST TOUJOURS MINUIT QUELQUE PART

Ce titre est lauréat du concours d'écriture

Couverture : © Studio LGF.

Préludes est un département de la Librairie Générale Française.

Pour Greg, son étoile secrète, et leur pamplemousse.

Un romancier n'invente rien ; il se souvient de la vie de personnes qu'il n'a jamais connues.

R. P. KIRKPATRICK, extrait d'interview
à Kwvo Campus radio, Oregon.

À première vue, Bill Herrington n'avait pas grand-chose d'un aventurier.

À 45 ans passés, il vivait modestement avec sa femme et ses deux filles de 15 et 9 ans dans une petite ville située à l'ouest de l'État de New York, non loin de la Henry Cushing Academy où il enseignait la littérature anglo-américaine à des jeunes gens appelés à rejoindre les meilleures universités du pays.

Bill aimait son quotidien et le sentiment de sécurité qu'il lui procurait. C'était l'un de ces hommes qui, face à un individu armé, se hâteraient sans doute de lever les mains en l'air avant qu'on le leur ait demandé.

Mari fidèle depuis vingt ans, père soucieux du bien-être de ses filles, fils aimant et attentionné, il ne lui serait jamais venu à l'idée de sortir de la route paisible des jours monotones qui, il en était convaincu, l'aurait mené à une retraite méritée au terme d'un honorable parcours.

Bill Herrington avait même refusé un poste à l'université de Syracuse par simple horreur du changement et au grand dam de son épouse, Lisa, qui avait vu dans cette opportunité le premier pas d'une brillante carrière académique.

C'est pour toutes ces raisons que sa présence au large du New Jersey sur un bateau à moteur avec à ses côtés une jeune femme à peine plus âgée que sa fille aînée était inexplicable. Ajoutez à ça qu'il ne connaissait pas cette personne deux mois auparavant et qu'il avait le bras droit dans le plâtre et l'incompréhension sera totale.

Le plus étrange, c'est que si quelqu'un avait eu la curiosité de lui demander ce qu'il faisait sur l'océan, tard dans l'après-midi, en direction d'une petite île abandonnée et en principe interdite au public, il aurait eu cette réponse mystérieuse et laconique : « C'est à cause du livre. »

Et, face à son regard aux aguets empreint d'inquiétude, son interlocuteur aurait su, s'il avait un minimum de jugeote, que Bill Herrington disait la vérité, et que sa voix avait même tremblé en répondant. Ressentait-il de la peur ? de la colère ? du chagrin ? Peut-être un peu des trois.

Depuis quelques mois, tant de choses avaient changé.

Certaines personnes étaient mortes, d'autres avaient fait leur apparition, mais des fantômes, surtout, s'étaient réveillés et avaient tenu à le faire savoir à Bill. Ce dernier ne les avait pas oubliés, non : il avait seulement, jusqu'alors, évité de penser à eux.

La fragile embarcation fendait les flots depuis une dizaine de minutes et Bill se demanda à quel moment tout avait commencé : il se rappela la mort de son beau-frère. Cet événement n'avait rien à voir avec ce qui s'était produit par la suite, et pourtant ce fut la scène où lui et sa famille se retrouvèrent aux pompes funèbres qui lui vint à l'esprit alors que, le visage battu par un vent mouillé, il naviguait vers son passé, tremblant de tout son corps.

I

Bill ne savait pas trop comment réagir. Dans la chambre bleue du salon funéraire où gisait son beau-frère, tout le monde pleurait, sauf lui.

Il y avait là Olivia, la jeune veuve, accompagnée de son petit garçon de 5 ans, Gavin, qui ne comprenait peut-être pas vraiment ce qui se passait. Les filles sanglotaient. Lisa, elle, tenait le choc pour le moment. La veille au soir, quand le téléphone avait retenti pour annoncer la nouvelle, elle s'était effondrée, naturellement : son petit frère était parti. Désormais, elle semblait être redevenue le roc sur lequel chacun pouvait s'appuyer sans crainte.

Larry Burford avait poussé son dernier soupir en fin de journée, dans son sommeil. Le médecin avait parlé d'une embolie foudroyante, ce qui n'était pas rare pour les personnes sous chimiothérapie. Au moins n'aurait-il pas une agonie lente et douloureuse.

Pauvre vieux Larry. Dire qu'il avait survécu à un premier cancer alors qu'il n'avait pas 20 ans pour se faire attraper par un autre dix années après. Venir à bout d'un cancer des testicules était une chose, mais une tumeur du poumon métastasée était une autre paire de manches.

Bill avait mis un point d'honneur à soutenir Lisa lors de cette première épreuve et à se rapprocher au maximum du jeune frère de sa femme. Il avait cru bon d'adopter avec lui une attitude qu'il n'arrivait pas à définir clairement : il voulait concilier le côté protecteur d'un père avec une complicité toute fraternelle. Ç'avait été un échec complet. Jamais Larry n'avait accepté la main tendue par son beau-frère ; il ne parvenait pas à mettre de côté l'hostilité presque naturelle qu'il avait toujours ressentie à son encontre, et, très vite, Bill déclara forfait. Il considérait avoir fait preuve de suffisamment de bonne volonté en vain pour le jeune homme qui, s'il était cancéreux, n'en demeurait pas moins un méprisable raté.

Lorsqu'il avait appris que ce dernier était malade, une anecdote jusqu'alors oubliée avait ressurgi dans sa mémoire. Quand Larry n'avait que 17 ou 18 ans, Bill avait dû subir une batterie d'examens pour déterminer si le kyste qu'il avait sous le mamelon était ou non de nature cancéreuse. Très inquiète, Lisa avait abordé le sujet avec ses parents un dimanche et la seule réaction de Larry avait été de regarder son beau-frère droit dans les yeux et de lui lancer : « Si jamais tu crèves, Bill, je veux que tu saches que j'irai chier sur ta tombe. »

Tout le monde avait été surpris, sauf Bill qui paraissait être le seul à comprendre que la haine du jeune homme à son égard n'était pas feinte, ni tein-tée d'humour, comme l'avait prétendu Lisa. Pour la forme, la belle-mère de Bill avait morigéné son fils en l'invitant à ne pas faire de blagues sur un sujet aussi grave. Quant à son beau-père, il resta muet. Il aimait son gendre sincèrement mais n'aurait pas voulu être à sa place : dès son entrée dans la famille, Bill était devenu la bête noire de Larry, rôle jusqu'alors dévolu à M. Burford, et celui-ci était soulagé de ne plus être la cible du harcèlement systématique de son fils.

Malgré les molles récriminations de ses mère et sœur, la pique de Larry avait plongé tout le monde dans un embarras stupéfait, ce qui semblait avoir comblé de joie l'adolescent, mais comme les analyses médicales, quelques semaines plus tard, n'avaient rien révélé de méchant, tout le monde avait rapidement oublié cette histoire de kyste et de promesse de sépulture profanée par les selles.

Jamais Bill n'avait compris l'origine de cette haine ; sans doute il représentait tout ce que les aspirants hippies dans le genre de Larry détestaient : la stabilité professionnelle et conjugale, agrémentée d'une forte dose de modération en toutes choses. Tout ce vers quoi Larry avait fini par s'orienter en fondant une famille sans se départir de son animosité à l'égard du professeur Herrington. Et ce sentiment négatif, Bill l'avait lui aussi éprouvé en retour sous forme d'un dégoût froid, désespéré et méprisant. C'est pourquoi, quand il avait appris le trépas de Larry, il s'était sur-pris à penser : « Alors, mon grand : qui va chier sur la tombe de l'autre, en fin de compte ? » et cette saillie lui était venue si spontanément qu'il en avait ressenti de l'horreur.

Maintenant on en était là : Bill et ses quatre-vingt-dix kilos observaient le corps amaigri de Larry qui affichait une mine des plus sévères.

Ce qui affectait Bill, c'était Olivia et le petit. Surtout Olivia. Gavin avait du chagrin, certes, mais il était triste parce que sa mère l'était, et quelque chose échappait à sa compréhension.

C'était bien la jeune femme qui faisait peine à voir, dans son tailleur-pantalon noir avec ses longs cheveux sombres et raides et son horrible frange droite. Elle était belle et grave comme une tragédie grecque.

Elle avait rencontré Larry au cours de la première convalescence de ce dernier. Elle était bénévole auprès des malades de l'hôpital et avait eu le coup de foudre pour le jeune frère de Lisa lors de la réunion d'un groupe de soutien. Pendant une heure ou deux, les jeunes cancéreux pouvaient s'exprimer et partager leurs émotions en toute liberté. D'après le récit d'Olivia, Larry s'était montré renfrogné, en colère, désespéré, grossier, et tout un tas d'autres choses qui, selon Bill, auraient amené n'importe quelle personne saine d'esprit à déduire que Larry, malade ou pas, n'était qu'un sale con égocentrique, agressif et malpoli. Mais Olivia l'avait trouvé touchant dans sa révolte contre un destin qui lui ôtait les plus belles années de sa vie.

18

Elle avait encore des étoiles plein les yeux lorsqu'elle évoquait ces souvenirs, plusieurs années après. Bill n'en était pas revenu : même déplumé par la chimio, ce salaud était parvenu à faire des ravages dans le cœur d'une jeune femme aussi exquise et innocente qu'Olivia. Et on ne pouvait même pas accuser Larry de s'être livré à un double jeu : tout au long de son existence, il avait mis un point d'honneur à être odieux avec tous ceux qu'il rencontrait, quotidiennement.

Encore un mystère insondable de la création.

Même la mère d'Olivia, veuve depuis peu au moment du mariage de sa fille, n'avait pas pris la peine de cacher sa perplexité après un premier contact houleux avec son gendre. Au lendemain des noces, elle avait quitté le jeune couple sans parvenir à dissimuler ses doutes quant à la pérennité de leur union et avait regagné le Nouveau-Mexique en proie à une totale incompréhension.

Malgré tout, ç'avait été un mariage heureux, et en ce jour placé sous le sceau du deuil et du chagrin, Bill eu le sentiment que ce bonheur appartenait à une époque déjà très lointaine.

En fin de compte, Olivia avait supporté le caractère immonde de Larry jusqu'au bout sans faillir.

Ou presque.

Elle avait confié à Bill et Lisa qu'elle n'avait pas réussi à fermer l'œil de toute la nuit, même pour une dizaine de minutes. Elle était obsédée par le déroulement des derniers instants qu'elle avait passés avec son mari : Larry avait décidé de faire une sieste vers 16 heures mais c'était justement le moment qu'avait choisi Gavin pour montrer à son papa le dessin qu'il venait de faire. Il représentait trois bonshommes, dont deux souriaient à la vie quand le troisième, au teint jaune qui contrastait avec les joues rouges de ses compagnons, tirait une tête de six pieds de long.

— Regarde, papa ! avait exulté Gavin en entrant dans la chambre. C'est toi avec maman et moi !

Épuisé et choqué d'être représenté sous les traits d'un cadavre ambulant qui faisait la gueule, Larry avait froidement rembarré son fils en lui demandant de le laisser souffler cinq minutes, ce qui avait entraîné un rapport vexé et larmoyant du gosse auprès de sa mère. Olivia était à cran, aussi ne parvint-elle pas à contenir sa colère contre Larry.

— Je… Je lui ai dit qu'il était un putain de cancéreux égoïste, avait-elle dit en larmes à Lisa au téléphone. J'ai insulté mon mari quelques minutes avant sa mort ! Quelle salope je fais, mon Dieu ! Mais quelle salope !

Ce qui avait encore plus choqué Olivia était la réaction de Gavin quand elle lui avait annoncé que son papa venait de les quitter pour monter au ciel. Toujours offusqué d'avoir été rabroué par Larry, le petit garçon s'était contenté de répondre avec une moue boudeuse : « Bien fait pour lui ! »

Bill s'était mordu pour ne pas rire quand Lisa le lui avait raconté. Elle était trop bouleversée pour saisir le comique macabre d'une telle anecdote. Bill, quant à lui, avait noté la scène dans son carnet dès qu'il s'était retrouvé seul : ça pourrait lui servir un jour ou l'autre pour l'écriture de ce grand roman qu'il fantasmait depuis la fac.

Pour le moment, Larry était mort depuis presque vingt-quatre heures et personne d'autre que Bill, Lisa et leurs deux filles n'était venu se recueillir sur sa dépouille. La cousine Estelle ne supportant pas ce genre d'endroits et les parents de Larry et Lisa étant morts depuis quelques années déjà, on pouvait dire que la famille proche du défunt était réunie au grand complet. Et pour que d'hypothétiques collègues de Larry aient voulu lui rendre un ultime hommage, il aurait fallu qu'il conserve un job plus de trois mois et fasse montre d'un minimum de sympathie pour être apprécié. Ses seuls prétendus amis s'étaient tous défilés quand Olivia les avait prévenus de sa mort. Bill avait toujours su que le décès de son beau-frère n'ameuterait pas les foules : c'est le contraire qui l'eût étonné.

Le silence de la chambre funéraire était pesant, seulement ponctué par d'indiscrets reniflements consécutifs aux grandes eaux qui avaient fini par se tarir dans les yeux de chacun.

Ceux de Bill étaient restés secs, et il en éprouvait une honte terrible, aussi voulut-il rattraper ce déficit lacrymal en arborant une mine la plus sombre possible.

Lisa tenait sa belle-sœur par l'épaule et ne parvenait pas à détacher le regard du visage inerte de son frère. Olivia tordait ses mains d'une façon atroce tout en laissant échapper un gémissement continu et poignant.

Bill s'approcha d'elle et lui effleura l'avant-bras. Elle afficha alors une expression perdue et étonnée, comme si elle le voyait pour la première fois.

— Je suis désolé, dit-il, mes parents ne pourront pas être là : ils auraient voulu faire le voyage pour te présenter leurs condoléances de vive voix mais papa n'est pas très vaillant et…

Il n'acheva pas sa phrase, soudain persuadé qu'évoquer la santé chancelante de son père quasi nonagénaire relevait d'un manque de tact sans nom. Mais Olivia ne se formalisa pas : elle lui adressa une grimace douloureuse qui tentait sans succès de se muer en sourire.

— Je te remercie, Bill, pleura-t-elle, c'est déjà très gentil à eux d'avoir fait livrer des fleurs. Ça aurait beaucoup touché Larry.

— Je t'en prie, répondit-il gêné, c'est tout naturel… Oh, je ne sais pas si Lisa t'en a parlé, mais on peut prendre le petit avec nous un jour ou deux si tu veux, si tu as besoin de te reposer ou d'être au calme pour préparer l'enterrement…

À peine avait-il prononcé ce dernier mot que sa femme le dévisagea. Sans qu'il comprenne pourquoi, cette réprimande non verbale plongea Bill dans l'embarras. Il ressentit alors un impérieux besoin de se rattraper mais n'en fit rien.

— C'est très gentil, répéta Olivia, mais je vais garder mon petit homme près de moi.

Elle posa sur son fils un regard tendre d'où l'espoir n'était pas complètement absent, puis les larmes coulèrent de nouveau.

— Il ressemble tellement à Larry, bredouilla-t-elle.

Gavin ne pleurait pas : il était absorbé par la tâche méticuleuse à laquelle il s'adonnait dans le plus profond silence. Il avait remarqué un fil dressé vers lui sur la couture du pantalon de costume de son père et tirait dessus doucement. Un trou béait progressivement qui menaçait d'exposer au grand jour la cuisse décharnée et bleutée du cadavre.

— Gavin! murmura sa mère entre ses dents.

Puis elle lui frappa légèrement l'arrière du crâne. Le gamin se tourna vers elle, outré, puis se réfugia en pleurnichant contre Darlene, la plus âgée des filles de Bill.

— Ce gosse me rendra folle, lâcha Olivia.

— Il est petit et bouleversé, souligna Lisa.

Olivia ne répondit pas, mais Bill remarqua qu'elle regrettait déjà ses paroles et son geste un peu trop vif. Comme pour accentuer sa culpabilité, Gavin se mit à pleurer comme un veau.

— Mon-pa-pa! hurla-t-il en prenant soin d'appuyer sur chaque syllabe.

C'en était trop pour Lisa qui craignit de voir sa belle-sœur défaillir sous le coup de cette déclaration d'amour filial inattendue. Elle demanda à Darlene et Sally d'emmener leur cousin faire un tour pour que les adultes fassent le point sur certaines choses. Les enfants s'exécutèrent et le cortège quitta le salon funéraire. Gavin hoquetait nerveusement, la morve au nez et les yeux fixés au sol.

Bill ressentit un réel soulagement à l'idée qu'il ne lui faudrait pas cohabiter avec ce démon d'un mètre dix pendant les prochains jours. Il se demandait pourquoi il avait fait cette proposition stupide à sa belle-sœur : Gavin tenait trop de son père pour que Bill puisse s'attacher à lui, de plus, personne n'aurait pu s'en occuper convenablement les jours suivants.

Une fois seule avec Bill et Lisa, Olivia retrouva une contenance et évoqua la question de la veillée funèbre et des obsèques.

— Larry voulait être enterré avec vos parents, dit-elle à Lisa, et il restera encore une place dans la concession une fois qu'il sera inhumé… Vous ne voyez pas d'inconvénient à ce qu'elle me revienne plus tard ?

— Pas du tout, chérie, répondit Lisa en prenant Olivia dans ses bras, c'est normal que tu veuilles reposer auprès de ton mari quand le moment sera venu…

Bill pensa que Larry avait surtout vu là une opportunité de ne pas débourser un dollar dans une autre place de cimetière : la majeure partie de sa courte vie avait consisté à pourrir la vie de ses parents ; il les avait insultés et jamais considérés comme autre chose qu'un hôtel-restaurant, mais il avait insisté pour passer l'éternité avec eux. Cela rappela à Bill que c'était ce cher Larry, et non Lisa, qui avait récupéré la maison à leur mort, au seul prétexte qu'il n'avait plus les moyens de payer un loyer depuis qu'il vivait avec Olivia. Cette magnifique demeure que Bill avait tant de fois lorgnée et où Lisa avait presque vu le jour. Cette maison que Larry, avec sa délicatesse habituelle, avait si souvent qualifiée de « baraque de merde ». Avait-il jamais eu conscience que c'était Lisa, sa sœur aînée, qui s'était occupée d'eux et les avait tendrement chéris tout au long de leur existence qui souhaitait sans doute partager leur sépulture ? Probablement pas : même mort, Larry continuait à ne penser qu'à lui.

Ces sombres ressassements arrachèrent à Bill une grimace de dégoût que sa belle-sœur interpréta de travers.

— Je sais que c'est dur de réaliser qu'il n'est plus là, dit-elle en le serrant dans ses bras.

— Qu'est-ce qu'on peut faire pour toi ? demanda Lisa.

— Rien : j'avais tout prévu depuis longtemps, même si je ne m'attendais pas à le voir partir si brutalement. Il n'y a plus que des formalités à accomplir…

Elle se pencha sur Larry et caressa son front avant d'y poser un baiser.

— Mais j'y pense, dit-elle en se relevant, je voudrais faire un panneau du souvenir à sa mémoire. Chacun des membres de la famille y apparaîtra en compagnie de Larry sur une photo. Avant de fermer son cercueil, je mettrai les clichés près de lui, comme ça, il nous emportera avec lui.

Elle eut un triste sourire.

— Olivia! s'exclama Lisa avec émotion. C'est une très belle idée!

— Oui, une très belle idée, reprit Bill sans comprendre en quoi tout ça était si extraordinaire.

— J'ai tout ce qu'il faut à la maison, poursuivit Olivia, sauf pour toi, Bill…

Bill acquiesça avant de prendre conscience qu'il n'avait pas saisi ce qu'impliquait la remarque d'Olivia. Le regard de cette dernière s'appesantit sur lui et il se sentit stupide.

— Comment ça, « sauf pour moi »? demanda-t-il.

— Eh bien, j'ai des photos de Larry avec Lisa, avec les filles, avec ses parents, mais aucune avec toi… Je vais continuer à chercher, mais si tu peux jeter un œil dans vos albums de famille, ce serait gentil…

Bill faillit lui répondre que c'était peine perdue : il n'avait pas souvenir d'avoir jamais pris la pose avec ce crétin de Larry et, si par le plus grand hasard un tel cliché existait, les deux hommes devaient y faire une tête d'enterrement tant il leur avait toujours été difficile de se trouver dans la même pièce sans éprouver l'un pour l'autre un minimum d'animosité.

Lisa prit à nouveau sa belle-sœur dans ses bras.

— Naturellement, ma chérie, dit-elle, on va jeter un œil…

Elle lança un regard appuyé à son mari : il était temps de partir. Chacune des deux femmes effleura du bout des lèvres le visage cireux du défunt et Bill se contenta de lui tapoter l'épaule comme pour lui adresser un encouragement saugrenu.

Ils retrouvèrent les filles à l'extérieur : elles surveillaient Gavin qui jouait avec une énorme araignée. Sa mère l'arracha à cet amusement sadique et la bestiole, visiblement sonnée, s'échappa dans les buissons à la vitesse de l'éclair.

Bill se demanda comment il avait fait pour la coincer et la garder ainsi en main.

Après avoir enfermé son fils dans la voiture, Olivia remercia encore Bill et Lisa pour leur présence. Cette dernière promit de l'appeler dès le lendemain tout en l'incitant à ne pas hésiter à demander de l'aide en cas de besoin.

Une fois la veuve et l'orphelin disparus au coin de la rue, Bill se décida à briser la glace.

— On n'a aucune photo de Larry et moi, chérie…

— Je sais, répondit Lisa avec lassitude, mais tu vérifieras quand même dans les albums du grenier.

Bill se fit suppliant.

— Lisa, par pitié, ne sois pas ridicule : je ne pourrai pas avec le discours que je dois préparer pour les 100 ans de Percy Rogers !

— Bill…

Lisa n'eut pas besoin d'argumenter plus longtemps : Bill savait pertinemment qu'il n'était jamais aussi bon que lorsqu'il improvisait un discours et qu'elle, de son côté, n'aurait pas une minute à elle. Elle avait pris un jour de congé pour la mort de

Larry mais personne ne devait s'y fier : la boîte dans laquelle Lisa travaillait était au bord de la faillite et en tant que chef du service comptabilité, sa présence et son énergie étaient vitales pour l'avenir de l'entreprise. Pas le temps pour les pleurs et le deuil.

Bill aurait voulu lui répondre que ce genre de recherche était stupide et inutile mais Lisa tenait à ce que le geste soit accompli. Pour Larry, même si ce dernier n'avait jamais éprouvé un début d'embryon de considération pour son beau-frère. Aussi Bill eut la grandeur d'âme de déposer les armes.

— C'est bon, je vais chercher ça dès que possible…

— Je te remercie, dit Lisa.

Puis elle l'embrassa et toute la famille monta dans la voiture pour prendre le chemin du retour.

En s'éloignant, Bill observa l'enseigne du salon funéraire qui rapetissait dans le rétroviseur intérieur. C'était seulement maintenant qu'il ressentait une émotion particulière concernant la mort de Larry : il avait comme une boule au ventre.

Il revoyait les traits inertes du jeune homme, ces paupières scellées derrière lesquelles la vie avait fui les yeux devenus deux globes opaques et gélatineux. Deux amas de cellules mortes en route pour la désagrégation.

Une panique s'empara de lui, qu'il ne parvint pas à expliquer.

À ses côtés, Lisa remarqua son malaise.

— Tout va bien ? demanda-t-elle.

Il hocha la tête doucement et lui adressa un rapide regard de biais. Ses yeux le piquaient. Lisa posa la main sur son genou et le pressa doucement.

Bill ne comprenait pas l'angoisse soudaine qui l'avait étreint. Peut-être la mort de Larry l'avait-elle plus remué qu'il ne voulait l'admettre.

II

Quand ils furent de retour à la maison, Bill sentit qu'il était sur les nerfs alors que, de leur côté, Lisa et les filles semblaient éteintes. La veille, elles avaient toutes réagi par un violent chagrin à l'annonce de la mort de Larry, contrairement à Bill. Et comme d'habitude, ce dernier avait un train de retard sur tout le monde.

Il n'était pas 16 heures, mais Lisa avait dû s'allonger pour faire une sieste avec Sally tandis que Darlene s'était enfermée dans sa chambre pour surfer sur le Net le restant de la journée.

Bill s'était rendu dans son bureau pour vérifier ses courriels : rien à signaler en dehors des habituels spams et des messages de condoléances de la part de ses collègues et de quelques rares étudiants. Parmi tous ces mots assez convenus en de pareilles circonstances figurait celui de la directrice, Mme Carlucci : cette dernière était bien évidemment navrée de la perte du jeune Barry – l'erreur arracha un sourire à Bill –, mais elle n'en tenait pas moins à rappeler au professeur

Herrington l'imminence de la cérémonie organisée en l'honneur de l'éminent Percy Rogers.

Bill ne comprendrait jamais la passion de ses contemporains pour ce genre de commémorations. C'était d'autant plus étrange que l'ancien professeur de grec ancien de l'Academy était toujours de ce monde : il fêterait son centième anniversaire dans un peu plus d'un mois, bon pied bon œil.

Se serait-on souvenu de lui s'il avait trépassé à l'âge moyen de 80 ans ? Sans doute pas. Mais il avait duré et on le fêtait pour ça. C'était une perspective sympathique : on mangerait des petits-fours, on rigolerait bien en évoquant le passé, quelques anciens élèves se souviendraient de la sévérité légendaire du vieux Percy qui recevrait avec émotion cet hommage ironique à ses méthodes sadiques et puis chacun rentrerait chez soi, ivre de souvenirs et de cocktails trop sucrés.

Et après ? Eh bien, dans les quelques jours, semaines ou mois – les années, peut-être ? – qui suivraient, on apprendrait que Percy avait enfin cassé sa pipe et chacun répéterait la nouvelle en se remémorant le centenaire du professeur Rogers. « J'y étais », murmurerait-on dans un soupir mélancolique. Puis on passerait à autre chose.

Bill aussi, le moment venu, pourrait dire qu'il avait assisté à l'événement. Il en aurait même été le centre, avec son discours. Mais à la différence des autres participants, Bill penserait : « Bon anniversaire, Percy. Ce n'est pas donné à toutes les carnes d'emmerder leur monde sur plus d'un siècle. Mon connard de beau-frère en sait quelque chose. »

Même si Larry n'avait jamais vraiment compté pour lui, Bill ressentit une vive aigreur à l'égard de Mme Carlucci : cette dernière expédiait bien cavalièrement la tragique disparition d'un jeune papa à peine trentenaire pour insister sur la primauté de la sauterie organisée pour un dinosaure antipathique. Pendant un instant, il voulut l'envoyer au diable, puis il jugea préférable de ne pas lui répondre immédiatement en la laissant mijoter jusqu'au lendemain. Imaginer cette mégère rafraîchir sa boîte de courriers électroniques toutes les demi-heures sans trouver la réponse tant attendue procurait à Bill un plaisir rare.

Il éteignit son ordinateur et repoussa le fauteuil de son bureau. Il leva les yeux au plafond. Il remarqua une petite tache d'humidité juste au-dessus de la fenêtre puis il fit pivoter le fauteuil et son regard tomba sur une photo de famille encadrée dans une magnifique imitation de bois précieux. Darlene tenait à peine sur ses jambes quand le cliché avait été pris. À l'époque, il était encore hors de question d'avoir un deuxième enfant.

Tout cela rappela à Bill la promesse qu'il avait faite à Lisa et il se dit qu'il pouvait mettre à profit les heures qui le séparaient encore du dîner à chercher une photo de Larry et lui. Deux de ses femmes dormaient, une autre broyait du noir devant son écran d'ordinateur. Pourquoi ne pas se mettre au diapason de cette ambiance morose et s'isoler au grenier parmi les souvenirs sur papier glacé de ses chers disparus ?

Il gagna en silence l'étage supérieur de la maison : pas d'escalier aux marches grinçantes pour y accéder, pas de poussières dansantes dans les rais de lumière blanchâtre une fois arrivé sur les lieux. Juste l'éclairage un peu jaune d'une ampoule à filament d'un autre âge. Juste un grenier embaumant l'air sec, poussiéreux et immobile, lourd des reliques du passé familial entreposées là et disponibles en cas de crise de nostalgie.

Bill rechercha le carton où Lisa avait rangé les albums de photos. Il était sur une étagère murale, entouré d'objets et de livres que Bill ne se souvenait même pas d'avoir eu en main. Comme il avait la flemme de descendre le carton au salon pour le remonter ensuite au grenier, il dégagea une vieille chaise en bois du tas de magazines qui l'encombrait et s'y installa, la boîte d'albums posée à ses pieds.

Au bout d'une heure, il n'en avait épluché qu'un seul : il s'était laissé prendre au jeu et avait pris le temps de regarder longuement certaines photos. Ces instants à jamais perdus avaient quelque chose de rassurant et triste à la fois : une preuve que la vie n'avait pas été qu'un rêve, même si ce rêve évanescent s'éloignait en effaçant peu à peu chacun de ses protagonistes.

Il trouva même, à sa grande surprise, une photo de lui et de Percy Rogers. Il n'avait aucune idée du jour où elle avait été prise mais il put constater que le vieux professeur n'avait en rien changé : toujours le même air revêche et sûr de soi. Bill, quant à lui, fit le constat douloureux de sa métamorphose : il devait bien avoir pris vingt kilos depuis lors. Seule son indomptable tignasse blonde semblait n'avoir pas bougé.

Arrivé à la fin du deuxième album, il avait l'impression de se sentir bien. Il n'avait pas trouvé ce qu'il cherchait mais cette immersion dans le passé lui plaisait.

Au moment où il saisissait l'album suivant, plus lourd que les autres, et recouvert d'un tissu vert-de-gris très serré, une enveloppe tomba sur le sol.

Quand il l'ouvrit pour voir ce qu'elle contenait, il reçut un choc : c'étaient les plus anciennes photos qui devaient être en sa possession. Les seules d'une époque antérieure au début de sa vie commune avec Lisa. Elles dataient de leur dernière année d'études à Princeton.

Le contraste entre l'échalas sec et noueux aux joues creuses qu'il était et le presque quinquagénaire mollasson d'aujourd'hui était encore plus frappant que sur le cliché avec Percy. C'était bien lui, cette grande asperge ? Si oui, il avait été plutôt beau gosse sans même en être conscient. À moins que cette beauté-là ne soit en fait indissociable de la jeunesse.

Il n'y avait que Bill sur plusieurs photos : il y avait fort à parier que c'était Lisa qui les avait prises. Bill au bord de l'eau en maillot de bain. Bill devant la bibliothèque universitaire. Bill avec ses parents le premier jour de cours sur le campus – son père avait regardé les bâtiments avant de lâcher un unique commentaire : « Je pensais que ça serait plus grand. »

Ensuite venaient les photos de Lisa et lui. Il remarqua qu'elle n'avait pas changé, sauf les cheveux qu'elle portait courts désormais. Elle était petite et tout en lignes opulentes, loin des silhouettes obéissant aux canons rigides de la minceur.

Il aimait ça parce que Lisa, avec un corps pareil, lui semblait plus réelle, plus solide que les autres – même s'il s'était toujours bien gardé de lui dire une telle chose. Elle le rassurait, le protégeait de lui-même.

Une douce chaleur irradiait en lui quand la photo suivante tempéra cette brève sensation de bien-être.

Ils étaient là tous les six, les uns contre les autres, bras dessus bras dessous, comme les acteurs d'une troupe de théâtre amateur qui saluent leur public sans oublier qu'ils sont avant tout des amis.

Bill était incapable de se souvenir du lieu et du moment où avait été prise cette photo, encore une fois – comment faisaient ces gens qui, l'image à peine caressée du regard, étaient capables d'en fournir toute l'histoire agrémentée d'une ou deux anecdotes savoureuses ?

Avaient-ils ou non déjà passé leurs examens ? Probablement pas. Mais c'était avant les événements de l'été, forcément.

Une tristesse stupéfaite envahit Bill avec une violence telle qu'il la ressentit physiquement. Son visage s'affaissa. Comment pouvait-on s'attacher à d'autres personnes, si fort, et les côtoyer presque chaque instant durant toute une année au point de ne pouvoir envisager de vivre sans elles pour les quitter ensuite si brusquement et ne plus penser à elles que comme d'anciens fantômes inconsistants d'une vie dont on doute parfois qu'elle a été la nôtre ?

Neal, Sam, Joe, Lisa. Et Mary.

Bill avait si bien réussi à mettre ces souvenirs-là de côté qu'il parvenait à évoquer l'année de sa rencontre avec Lisa en occultant totalement les quatre autres larrons de leur ancienne bande.

Seule Lisa, certaines fois, prononçait un de leurs prénoms au détour d'une conversation. Dans ces cas-là, jamais Bill n'embrayait pour tirer sur le fil de leur mémoire commune et ressusciter leur jeunesse. Il souriait en silence et abordait un autre sujet ou quittait la pièce sous divers prétextes.

Avec le temps, ses évitements semblaient avoir contaminé Lisa, et les noms de leurs amis avaient sombré dans un parfait silence, tel un écho qui s'éloigne jusqu'à disparaître.

Bill songea aux bonheurs intenses et aux crises qui avaient ponctué cette année et, quand il se remémora la façon dont elle s'était achevée, un frisson courut le long de sa colonne vertébrale, presque douloureux.

La photo lui brûlait les doigts, aussi la rangea-t-il en vitesse dans l'enveloppe pour se recentrer sur l'objet de ses recherches.

Il allait ouvrir l'album suivant quand son téléphone vibra dans sa poche : c'était un message d'Olivia. Elle lui écrivait qu'il n'était plus nécessaire de chercher une photo car elle en avait trouvé une dans son ordinateur. Elle la lui avait d'ailleurs envoyée en pièce jointe.

Bill la téléchargea, curieux de voir une telle rareté, et fut surpris du résultat. La photo datait de ce que Larry avait appelé son repas de résurrection. Lorsque les médecins lui avaient confirmé que son premier cancer était guéri, Larry avait organisé cette fête. « Parce que tout le monde n'échappe pas comme ça à la mort ! » avait-il précisé avec une pointe de provocation à l'encontre du destin – même si le destin en question avait gardé un as dans sa manche.

Bill se rappela combien cette journée avait été magnifique, et la photo en témoignait : il était assis à table, devant une assiette bien garnie et un verre à moitié vide, et derrière lui, l'enlaçant presque, se trouvait Larry.

Les deux hommes fixaient l'objectif, hilares. Pour un peu, on aurait dit les meilleurs amis du monde. Depuis la mort du jeune homme, Bill n'avait pas pleuré une seule fois, et les larmes furent alors à deux doigts de venir à bout de lui, mais il tint bon. Ce qui le surprit, c'était la similitude du sourire de son beau-frère avec celui qu'il arborait, tout comme ses amis, quelque vingt années plus tôt.

L'un venait de sortir des griffes de la mort, les autres n'étaient même pas encore conscients qu'elle existait vraiment.

Bill remit tous ces souvenirs à leur place et quitta le grenier où la température avait beaucoup chuté depuis qu'il s'y était installé.

Quand il fut de retour au rez-de-chaussée, il remarqua que le temps avait filé plus vite qu'il ne pensait : il était près de 18 h 30 et, en passant devant sa chambre et celle de Darlene, il vit que Lisa et les filles avaient toutes sombré dans le sommeil.

Il se rendit dans la cuisine et jeta un œil dans le réfrigérateur.

Rien. Mais il pouvait encore faire un saut en ville et acheter quelque chose pour le dîner. Comme ça, au moins, Lisa n'aurait pas à préparer le repas.

Il prit son manteau et chercha les clés de la voiture : il vit qu'elles étaient posées sur la table basse du séjour.

Au moment où il se penchait pour les récupérer, il eut la désagréable impression d'être épié. Il se redressa et leva la tête en direction de la porte-fenêtre. Il manqua de pousser un cri, mais sa stupeur resta bloquée quelque part dans sa poitrine.

Face à lui, sur la terrasse qui donnait sur le jardin, se tenait un loup, et son regard d'ambre le fixait.

Bill n'en avait jamais vu auparavant et fut frappé par la taille de l'animal, qu'il n'aurait pas imaginé si grand.

La bête était immobile. Elle donnait l'impression de guetter sa proie. Bill était paralysé à l'idée que le loup puisse se précipiter sur lui en bondissant à travers la porte-fenêtre. Il imaginait déjà Lisa et les filles réveillées en sursaut par le raffut des bris de verre et des hurlements.

Il voyait la cérémonie consacrée au centenaire de Percy Rogers s'ouvrir sur une minute de recueillement inattendu à sa mémoire. « Mesdames et messieurs, nous vous prions d'observer une minute de silence pour William Herrington, notre cher Bill, déchiqueté par un loup sorti de nulle part, trois heures à peine après s'être incliné sur la dépouille de son jeune beau-frère emporté à 30 ans par un cancer généralisé. Après cela, nous porterons un toast aux 100 ans de Percy. »

Bill ne voulait pas mourir, pas plus que quiconque, même s'il avait fini par accepter cette fatalité. Mais quand même : pas maintenant, et pas de cette façon !

Alors que les secondes s'étaient étirées jusqu'à l'intolérable, l'animal se détourna et quitta le champ de vision de Bill à pas lents. Ce dernier se précipita ensuite jusqu'à la porte et se colla contre la vitre pour chercher le loup des yeux, mais il avait disparu dans l'épais brouillard bruineux qui avait encerclé la maison peu après leur retour.

Pensant qu'il avait été victime d'une hallucination, il sortit sur la terrasse et fit quelques pas. Impossible de voir à plus de dix mètres, pourtant, il remarqua sur le sol des traces boueuses qui auraient pu être laissées par une bête sauvage comme le loup.

Il prit une profonde inspiration et retourna à l'intérieur. Il n'était plus question d'aller en ville pour acheter quelque chose. On trouverait bien une pizza au congélateur pour ce soir, si toutefois quelqu'un avait faim.

III

Le lendemain matin, Bill avait presque oublié cette histoire de loup. Il s'était d'ailleurs bien gardé d'en parler à Lisa qui n'y aurait cru qu'à moitié : il la voyait déjà, calme et rationnelle, déclarer que la présence d'un loup sur leur terrasse, dans cet environnement et dans ce comté de l'État de New York, était tout bonnement impensable. Elle en aurait conclu à une hallucination ou à une méprise de la part de Bill.

Quand il avait pris la voiture pour Henry Cushing, le soleil brillait et répandait une douce chaleur qui avait chassé la froidure de la veille : impossible de concevoir une attaque de bête sauvage par un temps aussi idyllique.

Ce matin-là, il avait rendez-vous avec un étudiant tout droit venu du Kentucky où il avait effectué une première année de prépa et tout le premier semestre d'une deuxième dans une école de moindre envergure que la Henry Cushing Academy. Désormais, le jeune homme, Alan Kemper, voulait se rassurer quant à son avenir universitaire auprès de Bill qui avait accepté de le voir avant son premier cours.

Comme par un fait exprès, un camion de bois s'était renversé sur la route principale qui menait jusqu'à l'école et Bill fut contraint d'attendre un long moment avant de pouvoir faire demi-tour et prendre un autre chemin. Il arriva donc avec beaucoup de retard et d'humeur maussade. S'il ne voulait pas être à la bourre pour son premier cours de la journée, il allait être obligé d'expédier en quatrième vitesse Alan du Kentucky.

Avant de se rendre à son bureau, Bill sacrifia au rituel de l'inspection de son casier : avec la mort de Larry, mieux valait ne pas laisser s'accumuler les cartes de condoléances.

Il constata que peu de monde compatissait vraiment à son chagrin – trois personnes, pour être exact, dont la concierge – et il en ressentit une légère vexation. Il y avait aussi un mot bref mais implorant de Mme Carlucci concernant le discours pour Percy. Il avait oublié de répondre à son courriel de la veille et la pauvre n'avait sans doute pas fermé l'œil de la nuit.

Bill trouva aussi un paquet emballé dans du papier kraft et sur lequel figuraient seulement ses nom et prénom. Pas besoin d'être médium pour deviner qu'il s'agissait d'un livre : il arrivait qu'un des collègues de Bill lui offre un exemplaire de la dernière publication qu'il avait rédigée sur des sujets aussi divers et intéressants que la fondation du comté de Marion ou sur l'influence de l'œuvre d'Ira Levin sur la littérature américaine contemporaine. Pour autant, ce n'était pas ce qui pouvait se produire de pire : certains professeurs se piquaient de littérature et produisaient eux-mêmes des romans ou des nouvelles. Un recueil de poésie était envisageable, parfois, et on atteignait là des sommets d'horreur.

« Faites que ce ne soit pas un autre roman de Mitch », songea Bill en déchirant le paquet. Tous les ans, son collègue d'espagnol commettait un pavé cérébral et illisible dont il réclamait des comptes rendus au personnel enseignant d'Henry Cushing.

Mais l'œuvre n'était pas de Mitch Baker – ni d'aucun nom connu de Bill, d'ailleurs. Il s'agissait d'un roman intitulé *Tu ne m'oublieras pas*. Il était signé R. P. Kirkpatrick. La couverture était illustrée d'une main noire ouverte et menaçante qui se précipitait sur le lecteur – Bill, en l'occurrence.

Il grimaça, retourna le livre afin d'en lire le résumé et ne fut pas plus avancé : il n'y avait qu'une phrase d'accroche qu'on pouvait accoler à bien d'autres thrillers du même tonneau.

Un homme seul. Hier encore, il était entouré d'une famille et menait une vie tranquille. C'était compter sans les ombres qui grouillaient autour de lui en criant « Vengeance ! ».

On avait déjà vu plus informatif. Même les incitations publicitaires à lire le bouquin étaient plus longues. Stephen King écrivait : « Une fois ce livre en main, impossible de le lâcher ! Je n'avais pas connu de telles nuits blanches depuis longtemps. » De son côté, Gillian Flynn garantissait : « On ne sait jamais si on est dans le surnaturel ou la manipulation, ou les deux à la fois. Ce qui est certain, c'est que ce livre signe la naissance d'un nouveau maître du suspense. »

Une courte biographie précisait ensuite que Kirkpatrick était âgé de 31 ans et qu'il vivait dans l'Oregon où il se consacrait désormais à l'écriture. Étrangement, il n'y avait aucune photo de l'auteur au dos du livre ni à l'intérieur de la jaquette.

R. P. Kirkpatrick.

Bill se creusa la cervelle : il ne connaissait pas ce gars et il était à peu près sûr de ne jamais avoir entendu ce nom à la Henry Cushing Academy. Et sans photo pour aider sa mémoire, impossible pour lui de savoir s'il s'agissait ou non d'un ancien élève. C'était d'autant plus étrange d'avoir déposé ce livre dans son casier qu'il ne lisait jamais de littérature contemporaine, et assurément pas de ce genre-là. C'était le prototype du premier roman avec un rebondissement toutes les trois pages et une histoire à dormir debout en toile de fond.

De la littérature à sensation comme Lisa en consommait par kilos. Il lui offrirait cet exemplaire.

Quand il jeta un œil à l'horloge murale située dans le hall, il en conclut qu'il n'aurait pas de temps à accorder à son étudiant du Kentucky et devrait s'en débarrasser avec le plus de politesse possible. En espérant que le jeune homme ne serait pas trop susceptible.

Il se dépêcha de gagner son bureau devant lequel il n'aperçut aucun Alan Kemper. Seule une petite jeune fille aux cheveux courts et d'un noir bleuté attendait dans des vêtements serrés et sombres qui faisaient ressortir sa minceur extrême. Tout cela contrastait avec la bouille radieuse de bébé qu'elle arbora quand Bill arriva près d'elle.

Il se demanda s'il n'y avait pas eu une erreur dans la fiche de renseignements qu'on lui avait transmise et la réaction de la jeune fille à son arrivée l'incita à le croire.

— Bonjour, monsieur, dit-elle, vous êtes le professeur Herrington ?

— Oui, répondit Bill, et vous êtes ma nouvelle étudiante, mademoiselle…

Plutôt que de commettre un impair, Bill sortit un dossier de sa serviette et fit mine de rechercher la fiche de renseignements.

— Alan Kemper, dit-elle, c'est moi.

Et elle accompagna sa réponse du sourire le plus aimable. Bill fut instantanément séduit. C'est même un certain trouble qui s'empara de lui au point qu'il laissa passer d'interminables secondes sans pouvoir dire quoi que ce soit. Grâce au ciel, l'étudiante reprit la parole.

— Je sais que vous vous attendiez à voir un garçon, dit-elle, mais c'est bien mon prénom : Alan.

— Bien sûr, bien sûr, bredouilla-t-il, je dois avouer que vous êtes la première jeune femme de ma connaissance à porter ce prénom, mais c'est tout à fait charmant, vraiment…

— Je dois être une des seules, aussi. Le jour de ma naissance, mes parents n'étaient toujours pas d'accord sur le prénom qu'on devait me donner, alors ils ont décidé de tirer au sort. Comme ils avaient refusé de connaître mon sexe avant l'accouchement, ils avaient préparé deux sacs de prénoms, un pour une fille, l'autre pour un garçon. Je suis née et une sage-femme a été choisie pour procéder au tirage au sort. Le problème, c'est que papa avait glissé par erreur un prénom masculin dans le sac des filles et que c'est celui-ci qui est sorti. Il a voulu recommencer mais maman a refusé : Alan, c'était très bien, et original pour une fille. En plus c'était un de ses choix à elle. Je pense qu'elle préférait gagner avec un nom de garçon plutôt que de prendre le risque d'avoir une fille prénommée Roberta…

— Roberta ?

— Oui. C'était la grand-mère de papa. Et ses autres choix étaient du même acabit.

Un nouveau silence suivit cette brève séquence tranche de vie mais, cette fois-ci, c'est Bill qui prit l'initiative d'y mettre un terme.

— Passons dans mon bureau, je vous prie, lui dit-il en oubliant l'heure tardive.

Une fois installés, ils allèrent droit au but. D'après son dossier, Bill put affirmer qu'Alan était une excellente étudiante et que sa première année effectuée dans un établissement obscur du Kentucky laissait présager un avenir brillant qui commençait à Henry Cushing.

— Vous pouvez être confiante, Alan : le travail que demande notre établissement est sans doute plus important que celui de votre ancienne école mais vous avez les capacités de relever le défi. Même si vous devez rattraper une partie du second semestre.

Il termina son compliment sur un sourire à la fois paternel et enjôleur quand il prit conscience qu'il était plus qu'en retard pour son premier cours de la journée.

— Alan, dit-il en se levant, je suis désolé, mais je dois écourter cet entretien : mon cours aurait dû commencer depuis presque dix minutes et…

— Je comprends, l'interrompit-elle, et il se trouve que c'est justement mon premier cours de la journée à moi aussi.

— Formidable ! s'exclama Bill avec un enthousiasme excessif. Dans ce cas, allons-y ensemble, même si nous devons nous presser un peu.

Ils quittèrent le bureau de concert et se dirigèrent d'un pas rapide jusqu'à la salle de cours située à l'autre bout du bâtiment. Chemin faisant, Bill interrogeait la jeune femme sur ses centres d'intérêt.

— Ce n'est pas pour faire de la lèche, dit-elle avec un petit sourire, mais j'adore la littérature.

— Oh, vraiment ? Et quels sont vos auteurs de prédilection ?

— Presque tous les géants du XIXᵉ siècle anglais : les Brontë, Dickens, Thackeray, Trollope, George Eliot, Thomas Hardy…

— Tout ça est très romanesque, ma foi... Ce semestre, je vais traiter de la nouvelle anglaise au début du XXe siècle : nous commencerons par Chesterton. J'espère que ça vous plaira.

— Oui, j'aime beaucoup le père Brown !

— Formidable ! répondit Bill.

Il se rendit compte que cette exclamation était déjà revenue cinq ou six fois à ses lèvres depuis le début de sa conversation avec Alan.

Comme cette dernière venait de lui indiquer sa grande passion pour Henry James, Bill ne se sentit pas de joie et se lança dans un babil pédant et gonflé d'autosatisfaction sur l'auteur du *Tour d'écrou* auquel, Alan ne le croirait pas, il avait consacré un article dans la revue littéraire de Princeton, et à seulement 24 ans.

Alors que la jeune fille s'apprêtait sans doute à se pâmer d'admiration, Bill ne prit pas garde au petit panneau déposé sur le sol par George, l'un des agents d'entretien, occupé à laver le sol du couloir. Jusqu'ici, il n'avait jamais cru à ces gags de comédies dans lesquelles on voyait un des personnages entraîné dans une chute spectaculaire après avoir glissé sur une surface mouillée.

Il avait tort.

Il était au beau milieu d'un délire sur *Le Motif dans le tapis* quand l'univers vacilla autour de lui : ce fut au moment même où sa jambe droite décida de quitter le sol pour expérimenter brièvement une étrange figure de gymnastique qui requérait une souplesse dont il avait toujours été dépourvu.

Il ne comprit pas immédiatement ce qui lui arrivait. Les seules choses dont il fut conscient furent ce brutal changement de perspective et les cris d'Alan et de George effrayés par sa chute.

— Monsieur Herrington !

— Nom de Dieu de merde !

Sa tête heurta le sol et il fut ébloui par un éclair d'une couleur vive et jusqu'alors inconnue de lui. Ce fut – brièvement – le noir total puis le retour à la réalité : Alan et son bourreau involontaire étaient auprès de lui, ainsi que deux ou trois curieux.

— Vous m'entendez, monsieur Herrington ? demanda Alan.

— Oui, murmura-t-il, ne vous faites pas de souci, mon petit, c'était plus impressionnant qu'autre chose…

Il fit mine de se relever en prenant appui sur son bras droit, mais une douleur fulgurante lui arracha un cri dont il ne se serait jamais cru capable. De plus, il avait des vertiges terribles.

— Faites gaffe, Bill, dit George, vous vous êtes peut-être fait mal…

— Je sens bien que je me suis fait mal, espèce d'abruti ! hurla-t-il.

— Il faut vous emmener à l'hôpital, monsieur Herrington, dit Alan d'un ton suppliant.

— Ou appeler une ambulance, suggéra George qui avait fait peu de cas de la réaction plutôt sanguine de Bill.

— Aidons-le à se mettre debout, dit Alan, s'il peut marcher je l'emmènerai à l'hôpital avec ma voiture : ce sera toujours plus rapide que d'attendre une ambulance…

— Mais… et vos cours ? demanda Bill.

— À part le vôtre, je n'avais rien de la matinée, dit-elle en lui pressant amicalement la main.

Il répondit à cette gentillesse angélique par un sourire niais puis ils l'aidèrent à se lever. Mis à part un léger étourdissement, il n'eut aucun mal à tenir sur ses deux jambes.

Ils s'apprêtaient à se diriger vers la sortie quand Bill fut pris de panique.

— Ma sacoche ! Ne l'oubliez pas !

Elle s'était ouverte dans la chute et son contenu jonchait le sol dans un désordre pathétique. Alan laissa le blessé aux bons soins de George et se chargea de ramasser grossièrement les papiers. Elle les fourra en tas dans la sacoche et revint à Bill.

— Je vous mettrai de l'ordre dans tout ça plus tard, lui dit-elle.

George les accompagna jusqu'à la voiture d'Alan et veilla à ce que Bill s'y installe sans difficulté. La jeune femme l'aida à attacher sa ceinture en prenant garde à ne pas malmener son bras douloureux. Ils étaient prêts.

Avant de laisser repartir George, Bill lui demanda de bien vouloir avertir l'administration ainsi que les étudiants de son absence et laisser à ces derniers des instructions de travail afin de ne pas perdre leur temps.

— Demandez-leur d'étudier la nouvelle que je leur ai distribuée sous forme de polycopié, « Le Livre maudit ». Ils en tireront la morale de Chesterton.

George hocha la tête et s'en retourna du côté des bâtiments.

— Bien, dit Alan, maintenant il va falloir que vous me guidiez parce que je ne connais pas encore bien la ville.

— Dans ce cas, je serai votre guide, mon enfant, dit-il dans un sourire douloureux.

Elle démarra.

IV

Il resta seul longtemps aux urgences. Dès leur arri-vée, une infirmière avait demandé à Alan de bien vouloir patienter à l'accueil pendant que quelqu'un s'occuperait de Bill.

Il était loin de penser que les choses traîneraient à ce point-là.

Il allait partir à la recherche d'une personne compé-tente pour l'aider quand, après deux heures et demie d'attente, un médecin entre deux âges vint enfin le trouver dans son box afin de l'ausculter.

— Voyons ça, bougonna-t-il.

Bill allait ouvrir la bouche pour lui expliquer ce qui était arrivé lorsque le médecin saisit son bras sans précaution et réveilla la douleur qui n'était que très légèrement endormie. Il poussa un hurlement des plus aigus qui ne troubla pas le docteur le moins du monde.

— Parfait, parfait, dit-il sans compassion, vous avez sûrement une luxation du coude. Vous vous êtes cogné ailleurs en tombant?

— Oui, répondit Bill en retenant ses larmes, je suis tombé sur la tête.

Le médecin passa derrière lui pour examiner son crâne.

— Vous n'avez pas de plaie mais une sacrée bosse… Vous avez eu des vertiges, une perte de connaissance ?

— Oui, très brièvement, j'ai vu comme…

— Alors on va vous faire passer un scanner par précaution.

Il n'eut pas le temps d'ajouter quoi que ce soit que l'autre était déjà parti.

Comme Bill l'avait redouté, on le fit attendre une éternité avant de venir le chercher pour le scanner, et, au plus grand soulagement de chacun, l'examen ne révéla rien d'anormal. En tout et pour tout, Bill s'en sortit avec le bras droit plâtré pour au moins un mois.

Alan et lui étaient arrivés vers 10 heures et il était maintenant plus de 15 h 30.

Après avoir reçu les dernières instructions du médecin, Bill se dirigea vers l'accueil où il eut la surprise de retrouver son élève. Elle n'avait pas quitté l'hôpital et patientait, plongée dans un livre.

— Mon petit ! s'exclama Bill. Vous n'auriez pas dû rester : il fallait confier ma sacoche à l'administration et je l'aurais récupérée par la suite.

— Je n'y avais pas pensé, dit-elle en rougissant, et je voulais être sûre que vous alliez bien… Ça n'a pas fait trop mal ?

Elle désignait le plâtre du regard.

— Pas du tout! dit-il. En plus ils m'ont fait une anesthésie locale : je vois donc la vie en rose pour encore une heure ou deux! Et ne vous inquiétez pas : je ne vous demanderai pas d'écrire un mot dessus.

Bill acheva sa phrase par un clin d'œil taquin et elle eut la générosité de rire.

— Vous ne vous êtes pas trop ennuyée durant mon interminable absence?

— Pour être tout à fait honnête, pas vraiment. Quand vous êtes parti, j'en ai profité pour mettre de l'ordre dans votre sacoche et, au milieu de tous vos papiers, j'ai trouvé un roman. Du coup, je me suis permis de le lire... J'espère que ça ne vous dérange pas?

— Un roman, vous dites? répondit-il, intrigué.

Elle lui montra la couverture du livre qu'elle avait gardé ouvert sur ses genoux. C'était *Tu ne m'oublieras pas*, dont Bill, justement, avait oublié jusqu'à l'existence. De toute évidence, ce bouquin avait dû plaire à Alan car elle en avait lu plus de la moitié.

— Oh, ce livre-là, dit Bill avec une pointe de perplexité.

— Vous ne l'avez pas lu?

— Non, je l'ai trouvé dans mon casier ce matin... Il y a peu de chances que je le lise : ce n'est pas trop ma tasse de thé.

— Vraiment? dit-elle stupéfaite. Il est pourtant génial, croyez-moi! À première vue, on pourrait croire que c'est soit une histoire d'horreur ou un thriller tout simple, mais l'auteur a eu l'idée d'en faire une perpétuelle hésitation entre les deux… Je ne sais pas encore comment ça va finir, mais je suis sûre que ça va déboucher sur une conclusion ambiguë à la Henry James, justement, type *Le Tour d'écrou*.

Ses yeux brillaient d'enthousiasme. Cela aiguisa la curiosité de Bill, cependant quelque chose en lui le freinait.

— Eh bien, Alan, vous m'intriguez… Je lis si peu de fiction contemporaine, pour tout vous dire, qu'il ne me serait même pas venu à l'idée de l'ouvrir. Et son résumé est des plus succincts, comme vous avez dû le constater.

— C'est vrai : mais j'aime ce genre d'accroches mystérieuses. Ça excite ma curiosité. Vous voulez que je vous dise de quoi ça parle, en deux mots ?

— Avec plaisir, répondit Bill, mais si ça ne vous dérange pas, nous pourrions faire ça ailleurs ? Ni vous ni moi n'allons rentrer à l'université, alors, on pourrait prendre un café quelque part, si vous voulez bien ? Vous devez mourir de faim, en plus, depuis la fin de la matinée !

— J'ai pris une barre chocolatée à un distributeur tout à l'heure mais un repas un peu plus consistant ne serait pas de refus, en effet !

— Alors, allons-y !

Et ils quittèrent enfin les urgences.

*

Une quinzaine de minutes plus tard, ils étaient installés dans une cafétéria où chacun d'eux avait commandé de quoi se rassasier après ces longues heures de jeûne : des gaufres, une grosse part de tarte et un thé pour elle ; des beignets au sucre pour lui, avec un café noir.

La conversation en voiture jusqu'ici n'avait pas été des plus palpitantes et s'était focalisée sur la route à suivre pour arriver à bon port.

Bill aurait voulu poser à Alan quelques questions sur sa vie, sa famille, ou ses rêves, mais à peine avaient-ils été servis qu'elle avait orienté la discussion vers ce satané bouquin.

— Je sais, commença-t-elle, que ce genre de littérature n'est pas forcément très prisé, surtout dans le milieu universitaire, et pourtant j'en raffole : j'adore tourner les pages avec la boule au ventre en attendant de savoir ce qui va se passer, être emportée par une histoire bien bâtie au point de ne plus être consciente du monde qui m'entoure…

Bill essayait de sourire avec le plus de bienveillance possible aux innombrables sornettes qu'Alan lui débitait, mais elle n'était pas dupe.

— D'ailleurs, reprit-elle, ça ne m'empêche pas de m'intéresser de près à l'art très subtil d'Henry James.

Elle haussa les sourcils et afficha un air complice.

— Je comprends ce que vous voulez dire, dit enfin Bill en baissant les yeux, vous aimez une littérature à sensation et c'est votre droit. De plus, le XIXe siècle a accordé une large place à l'imaginaire avec la prééminence du roman : Walter Scott, Dickens, Balzac, Dumas… Tous ces gens sont d'ailleurs reconnus comme des écrivains majeurs. Moi le premier, je me délecte de leur lecture, mais vraiment, Alan, les producteurs actuels de best-sellers ?

Il conclut son propos par une méchante grimace de dégoût. Cela fit bondir la jeune femme, littéralement.

— Mais monsieur Herrington ! Vous dites aimer les grands classiques du roman parce qu'ils sont loin de vous et que personne ne peut sérieusement les remettre en cause ! Si vous aviez été le contemporain de Dickens, vous l'auriez descendu en flèche ! Et si vous aviez vécu dans un siècle, vous auriez crié au génie en lisant Stephen King !

Elle n'en revenait pas elle-même de s'être enflammée à ce point. D'autres clients de la cafétéria s'étaient tournés en direction de leur table, croyant certainement qu'une dispute avait éclaté entre eux.

— Grand Dieu, Alan ! reprit Bill en riant. De quoi parle donc ce bouquin pour faire naître en vous une telle passion ?

Elle s'essuya le nez avec sa manche de pull et baissa les épaules comme si elle voulait se faire toute petite.

— En fait, dit-elle presque à voix basse, c'est l'histoire d'un crime qui aurait été commis à l'occasion d'une fête entre jeunes. Des étudiants. Ils viennent tous de décrocher leur diplôme de fin d'année dans une université prestigieuse, genre Harvard. Un des leurs a l'idée de fêter ça sur une île abandonnée de la côte Est. Là-bas, il y a les bâtiments désaffectés d'un ancien centre de détention pour mineurs, et c'est tout. Comme c'est une île très petite, il n'y a que ça et une forêt. C'est ce huis clos qui est intéressant. Ça renforce l'intensité dramatique de la première partie du livre. Bon, la soirée se déroule normalement, avec de l'alcool, des joints, tout ce qu'il faut pour une fête de ce genre. Comme il y a des garçons et des filles dans ce groupe, ça engendre forcément des liens amoureux complexes. Le problème, c'est qu'au cours de cette soirée deux des jeunes gens vont s'isoler pour profiter d'une plus grande intimité. Ils vont alors se rendre dans les bâtiments abandonnés. Ce qu'ils ignorent, c'est qu'un clodo a investi les lieux et va les observer en pleine action…

Alan marqua une pause et rougit un peu. Peut-être était-elle gênée de parler si librement de sexualité devant son professeur - ou était-ce simplement dû à son débit précipité.

Elle but une gorgée de thé avant de reprendre.

— Ils sont donc surpris dans un moment délicat. Le garçon se met à hurler, un de ses amis l'entend et ils se lancent à la poursuite du marginal dans les bois de l'île. Et là, c'est le drame : le clochard disparaît pendant la course dans la forêt. On ne sait rien des circonstances exactes, sinon que les deux garçons décident de garder pour eux ce qui s'est passé et que cette histoire va faire voler leur groupe en éclats alors qu'ils étaient tous les meilleurs amis du monde jusque-là. Mais quelques années après, l'un des deux garçons commence à recevoir des signaux étranges, comme si quelqu'un tenait à lui faire savoir que le secret de ce qui est survenu sur l'île n'en est plus vraiment un. Pour l'instant, j'en suis là : le protagoniste est en train de péter les plombs à cause de son passé qui ressurgit sans crier gare… On pouvait supposer que le clochard avait perdu la vie sur l'île, mais le harcèlement subi par le personnage principal sème le doute : mort ou pas ? Et si c'était un fantôme ?

Elle avait résumé l'intrigue à une vitesse folle et avec une passion réelle dans le regard. Elle attendait désormais une réaction de la part de Bill : sans doute pensait-elle que cette petite tirade allait suffire à éveiller sa curiosité.

Elle ne croyait pas si bien penser.

— Vous allez bien, monsieur Herrington ? Vous avez l'air d'avoir chaud, d'un seul coup…

La sueur perlait sur son front et au-dessus de ses lèvres, en effet, et Bill n'aurait pas eu besoin de vérifier dans un miroir pour savoir qu'il était pâle comme un mort.

— Monsieur Herrington ?

— Tout va bien, Alan, dit-il enfin, je crois que je ne supporte pas aussi bien la morphine des antalgiques que je ne le pensais.

Bill affecta de prendre cela avec humour, même s'il y avait quelque chose de contraint dans sa voix.

— Est-ce que, reprit-il en bredouillant, est-ce que cela vous dérangerait que nous finissions de manger en vitesse afin que vous me rameniez chez moi, s'il vous plaît ? Je suis épuisé et j'aurais besoin de me reposer…

— Bien sûr, monsieur, répondit-elle, catastrophée, il fallait me le dire plus tôt !

Il sourit et agita la main pour lui faire comprendre que ce n'était là rien de grave.

Ils terminèrent vite leurs douceurs et retournèrent à la voiture.

Pendant tout le trajet, Bill ne prononça pas un mot sinon pour lui indiquer la route à suivre pour aller jusque chez lui.

Alan fit la conversation toute seule et son professeur n'intervint guère que pour pousser des grognements approbateurs ou dubitatifs.

Une fois arrivé chez lui, Bill la remercia le plus chaleureusement possible sans toutefois l'inviter à entrer.

Ils allaient se quitter quand il lui demanda une dernière chose en passant.

— Oh, Alan, j'allais oublier : vous pourriez me rapporter le livre une fois que vous l'aurez terminé ? Vous avez réussi à attiser ma curiosité !

Le visage d'Alan s'éclaira soudain.

— Avec plaisir, monsieur Herrington ! Je vous le rapporterai ici même.

— Merci beaucoup, Alan, passez une bonne soirée.

Elle partit et Bill observa sa voiture qui disparut au bout de la rue.

Il était curieux, en effet.

Car l'histoire qui était écrite dans ce bouquin, c'était la sienne, et celle de ses amis.

V

Certes, il n'avait pas tous les éléments en main pour l'affirmer et certains grands traits de cette histoire tels que les lui avait rapportés Alan étaient inexacts, cela étant, quelque chose chiffonnait Bill : d'une part, le cadre spatio-temporel de cette soirée qui vire au drame – un peu plus de vingt ans auparavant, sur une île du New Jersey – et, d'autre part, le nombre des protagonistes. Ils étaient six, comme eux à l'époque.

C'était sans doute peu de chose, mais comment expliquer la présence de ce roman dans son casier ce matin ? Il lui semblait désormais que ce paquet sans nom d'expéditeur avait tout d'une lettre anonyme lourde de menaces qu'il n'était même pas nécessaire de formuler.

Après le départ d'Alan, Bill rentra dans la maison, le bras plâtré et l'esprit confus. Il se souvint de cette enveloppe de photos anciennes tombée d'un album la veille : elles aussi ressemblaient à s'y méprendre à une lettre envoyée par un inconnu, à ceci près qu'elle paraissait vouloir l'avertir d'un danger imminent.

Il n'y avait encore personne à la maison – ce qui n'avait rien d'étonnant : Lisa ne sortait pas du travail avant 19 h 30 et Darlene ne rentrait jamais directement après la fin de ses cours, quant à Sally…

— Et merde! maugréa Bill.

Il était censé aller chercher Sally chez Estelle, la cousine de sa femme, mais cette histoire de bras lui avait fait oublier ses obligations parentales.

Dans une telle situation, il aurait dû appeler directement Estelle, mais la perspective d'engager la conversation avec cette dernière était au-dessus de ses forces, surtout après la journée qu'il venait de passer. Elle allait encore pleurer sur le souvenir de ce pauvre Larry pendant au moins un quart d'heure sans laisser Bill en placer une. Larry qui, toute sa courte vie durant, n'avait jamais vu en Estelle qu'une dangereuse nymphomane ayant proposé de le dépuceler plus d'une fois dès qu'il avait eu 14 ans.

Avec une lâcheté assumée, Bill prit son portable dans la poche droite de son manteau. La maladresse dont il fit preuve lui rappela avec cruauté son nouveau statut d'handicapé : comment allait-il se débrouiller pour le reste des tâches quotidiennes si utiliser son téléphone lui prenait tant de temps?

Après quelques instants d'agacement stérile, il parvint à joindre Lisa. À sa grande surprise, elle décrocha.

— Bill, mon chéri? Qu'est-ce qui se passe?

— Rien de grave, ma puce : j'allais te laisser un message, je ne pensais pas que tu décrocherais…

Écoute-moi, je ne vais pas pouvoir aller chercher Sally chez Estelle…

— Oh, Bill, soupira-t-elle avec lassitude, j'ai eu une journée crevante. Tu es sûr que…

— Lisa, je suis désolé, c'est indépendant de ma volonté : la voiture est toujours à Henry Cushing parce que j'ai eu un accident là-bas aujourd'hui, et on m'a transporté d'urgence à l'hôpital…

— Comment ? Mais qu'est-ce qui s'est passé ? Tu m'appelles de là-bas ? Pourquoi on ne m'a pas prévenue ?

— Je vais bien, ne t'en fais pas. J'ai juste le bras dans le plâtre pour un peu plus d'un mois. Du coup, je ne peux plus conduire. En plus, je ne suis pas à la maison depuis très longtemps…

— Comment es-tu rentré ?

— Un de mes étudiants m'a accompagné aux urgences et m'a ramené ici dès que tout a été fini, mentit Bill à moitié.

— Très bien, répondit-elle, j'irai chez Estelle pour récupérer la petite. Tu pourrais l'appeler pour lui dire de ne pas s'inquiéter ? Elle devra garder Sally une heure de plus sur l'horaire prévu…

— Oh, c'est ce que je voulais faire mais je n'ai pas le numéro sous la main… Et pour être honnête, j'ai la tête qui tourne… Les antidouleurs, je suppose. Je voudrais m'allonger un moment…

— Bien sûr, chéri, ne t'occupe de rien, je vais l'appeler tout de suite. Et tant que j'y suis, tu ne veux rien de spécial pour le dîner ? Je peux passer faire une course avant de rentrer, si tu as une idée.

Loin de lui avoir coupé l'appétit, les émotions et l'angoisse qui montaient en Bill semblaient l'avoir affamé. C'était étrange, mais il fallait saisir l'occasion. Il rêvait de gnocchis au fromage.

— Oh, ma puce, ce serait tellement gentil de ta part, j'aimerais…

Quelque chose mit alors un terme à ses fantasmes gastronomiques.

Là, devant ses yeux, sur la table de la salle à manger, il y avait un paquet identique en tout point à celui qu'il avait reçu le matin même à l'université. Sous ce papier kraft où figurait seulement le nom du destinataire se trouvait le roman du mystérieux Kirkpatrick. Bill n'avait même pas besoin de l'ouvrir pour en être sûr.

Il avança lentement vers la table. C'était ridicule : on aurait cru qu'il voulait saisir le paquet par surprise. Toujours avec autant de précautions dans ses gestes, il l'observa un instant sans plus rien faire d'autre. Les beignets qu'il avait savourés avec Alan tout à l'heure remontèrent jusqu'à sa gorge en un reflux acide douloureux quand il remarqua que le paquet n'était pas destiné à lui mais à sa femme.

Cette dernière s'impatienta d'ailleurs à l'autre bout du téléphone.

— Bill ? Je ne t'ai pas entendu ! Tu as dit que tu voulais quoi pour ce soir ?

— Je… Une pizza, chérie, ce sera parfait. Je…
Je dois te laisser parce qu'il faut vraiment que je me
repose…

— Bien, dit-elle avec une nuance d'inquiétude
dans la voix, alors à ce soir, et prends soin de toi,
mon chéri, je t'embrasse.

Il raccrocha sans même répondre un mot tendre
comme il avait l'habitude de le faire et posa le téléphone à côté du paquet adressé à Lisa.

De la main gauche, il frottait son menton avec
perplexité. Il était certain qu'il s'agissait de la même
écriture que sur le premier paquet, mais un doute
subsistait. Lisa avait-elle commandé un livre sur
internet ? De plus, comment expliquer que le paquet
soit sur la table de la salle à manger ? Cela voulait dire
que Darlene ou Lisa était rentrée en milieu de journée et l'avait trouvé dans la boîte aux lettres. Oui,
c'était forcément Darlene : elle était rentrée entre
midi et deux pour une raison quelconque et avait
déposé le paquet pour sa mère sur la table, bien en
évidence. Lisa ne l'aurait pas posé ici.

Si Bill avait su ce qu'il y avait exactement dans ce
roman, il aurait peut-être pu éviter de l'ouvrir mais
il était hors de question de courir le risque de laisser
sa femme se plonger dans cette histoire dangereuse.

Sans plus hésiter, il prit le paquet, déterminé à en
avoir le cœur net : s'il avait commis une erreur, il
dirait à Lisa avoir mal lu le nom inscrit sur le papier.

De sa seule main gauche, il parvint à déchirer
l'emballage en kraft. Comme le livre reçu dans la

matinée, celui-ci était protégé par une sorte de papier de soie. À travers la transparence opaque et brumeuse, il reconnut l'ouvrage. *Tu ne m'oublieras pas*, par R. P. Kirkpatrick.

Un tremblement s'empara de Bill. La présence de ce roman dans sa maison, et de surcroît envoyé à son épouse, chassait tous ses doutes sur le lien qu'il pouvait entretenir avec les événements qui avaient assombri sa jeunesse.

Il ignorait encore le sens de l'exemplaire qu'il tenait à la main. Que cherchait-on à dire à Lisa ? Impossible de le savoir tant qu'il ne l'aurait pas lu. Tout ce dont Bill pouvait être sûr, c'était la limpidité du message reçu le matin. Ce mystérieux M. Kirkpatrick n'avait même pas eu besoin de l'écrire pour être compris.

« Je sais tout », disaient les quelque trois cent cinquante pages que Bill avait devant lui.

Il y eut du bruit dans la rue, ce qui fit craindre à Bill d'être surpris par Darlene si cette dernière avait décidé de rentrer plus tôt. Il n'en fut rien, toutefois Bill trouva préférable de se retrancher dans son bureau pour se plonger dans cette irrésistible lecture.

Il faillit jeter l'emballage en papier dans la poubelle de la cuisine avant de se raviser : s'il jouait de malchance, quelqu'un pouvait le retrouver, surtout Lisa. Aussi préféra-t-il s'en débarrasser directement dans une poubelle extérieure : celle de leur voisin, M. Duberstein, ferait l'affaire.

Dès qu'il fut dans son bureau, Bill faillit s'enfermer à clé, mais cette idée lui parut immédiatement idiote : jamais il ne fermait la porte, même pour les tâches les plus pénibles. Il resta donc porte ouverte, assis à sa table de travail, avec la lumière vive et crue de la lampe braquée sur l'exemplaire du roman de Kirkpatrick.

Aurait-il jamais cru jusqu'alors avoir peur d'un livre ? Il n'osait même pas l'ouvrir. Cependant l'heure tournait et Bill ne pouvait pas se permettre de tergiverser encore.

Il était neuf et ne comportait aucune dédicace manuscrite. Après la page de titre figurait une citation substantielle perdue dans une immensité immaculée et veloutée au toucher.

Tu m'avais dit qu'après minuit c'en serait fini, / Que nos âmes tourmentées trouveraient le repos, / Mais tu te trompais, car rien ne s'achève à minuit, et ce moment / Sur le point d'arriver ne se produit jamais, / Parce qu'il est toujours minuit quelque part dans le monde pour les criminels de notre espèce, / Et que c'est là le point indépassable de notre horizon. (William Shakespeare, *Macbeth*, IV, 4.)

C'était là une belle entrée en matière, même si, d'après Bill, les épigraphes de Shakespeare avaient quelque chose d'un peu galvaudé.

Il feuilleta le reste du livre nonchalamment pour en apercevoir la structure générale : un court prologue, et vingt-quatre chapitres de longueur équivalente suivis d'un épilogue. Rien de bien original dans la forme, donc.

Après avoir respiré un bon coup, il s'attela à la lecture de ce monstre silencieux avec une impatience mêlée de stupeur.

*

Bill en était arrivé à un degré tel de concentration qu'il n'avait pas entendu la porte d'entrée s'ouvrir. Ce ne fut qu'au moment où les pas de Darlene résonnèrent dans l'escalier qu'il prit conscience de sa présence.

En vitesse, il fit disparaître le roman dans le tiroir de son bureau qui fermait à clé, mais il n'eut pas le temps de le verrouiller avant l'arrivée de sa fille devant la porte.

— Salut, papa, lança-t-elle avec une indifférence bienveillante.

— Bonsoir, ma grande, lui répondit Bill sans prendre la peine de poursuivre par l'incontournable question sur le déroulement de sa journée.

Est-ce que ce service minimum avait heurté quelque chose en elle ? Ou bien la voix de son père avait-elle trahi une inflexion inhabituelle à laquelle elle fut sensible ? Sans doute un peu tout cela à la fois, et c'est pourquoi, au lieu de tracer son chemin jusqu'à sa chambre, Darlene marqua une pause.

— Papa ? Tout va bien ?

— Oui, je t'assure, dit Bill en rougissant.

— Putain! s'exclama-t-elle. C'est quoi, ce délire?

Elle avança droit sur lui en fixant son plâtre.

— Oh, ça, bredouilla-t-il, j'ai fait une mauvaise chute à la fac ce matin…

— Et après tu me dis que tout va bien?

Comme elle semblait y tenir, Bill lui expliqua avec plus de détails ce qui lui était arrivé plus tôt dans la journée.

Tout au long de son récit, il fut dans un état second – comme en pilotage automatique. Une partie de son cerveau s'occupait à faire la conversation avec sa fille tandis que l'autre était encore sous l'emprise de ce qu'il venait de lire. Son esprit était contaminé par les mots du romancier qui continuaient de s'insinuer en lui.

Jusqu'à présent, il n'avait pu lire que quelques dizaines de pages et aucun meurtre n'avait été commis pour l'instant. L'auteur avait pris le parti de rédiger le roman à la première personne du singulier de façon à créer l'illusion d'un texte énoncé directement par le marginal qui s'était trouvé sur la route de Bill cette nuit-là.

L'effet dramatique qui en découlait était remarquablement efficace, Bill devait l'avouer. Il s'était même surpris à lever la tête du livre à plusieurs reprises, convaincu que quelqu'un était tapi quelque part dans la pièce ou le couloir, prêt à se jeter sur lui.

Jamais encore il n'avait éprouvé une sensation aussi bizarre : pendant toutes ces années, il n'avait plus pensé à ce qui s'était passé cette nuit-là ni à ce jeune homme dont il avait croisé le chemin. À présent, il se demandait comment il avait pu oublier ce regard intense. Pendant deux décennies, il n'avait plus eu de visage, de voix ni aucun trait particulier. Il était un fantôme, une silhouette informe endormie dans un coin de sa mémoire. Bill restait persuadé que s'il n'avait pas à nouveau fait irruption de manière si violente dans sa vie par le biais de ce livre, il n'aurait plus pensé à lui – sinon, peut-être, au moment de sa propre mort, à cette seconde ultime où tous les visages entraperçus au cours d'une existence se donnent rendez-vous, un peu comme au théâtre les acteurs d'une pièce viennent saluer le public une dernière fois avant que le rideau ne soit baissé pour de bon.

Alors que Bill parlait avec Darlene, ce n'était plus le visage de sa fille qu'il voyait, mais celui du clochard, que la lecture avait fait émerger d'une eau sombre qu'il avait eu la bêtise de croire profonde. Il aurait pu le reconnaître désormais. Réagir au son de sa voix s'il l'avait interpellé dans la rue. Ce dont Bill était moins sûr, c'était de reconnaître le jeune William Herrington qu'il avait été.

— Papa ? insista Darlene. C'est maman qui s'occupe d'aller chercher Sally ?

Pendant une brève seconde, il la dévisagea, incapable de comprendre ce qu'elle venait de lui dire.

— Oui, répondit-il, gêné comme ces vieilles personnes prises en flagrant délit de démence, oui, ta mère s'en charge, ne t'inquiète pas.

Il tâcha de lui sourire pour la convaincre que tout allait bien. Cela dut suffire et elle lui demanda s'il n'avait besoin de rien. Après lui avoir répondu qu'il désirait seulement se reposer, une chose lui revint à l'esprit.

— Darlene, mon cœur, je voulais te demander : tu n'es pas rentrée à la maison aux environs de midi ?

— Non, j'ai déjeuné au lycée… Pourquoi ?

— Pour rien… Je croyais que quelqu'un de la fac aurait appelé ici pour avoir de mes nouvelles et comme le téléphone n'affichait aucun appel en absence…

— Désolée, dit Darlene, hilare, apparemment tes collègues se foutent complètement de ce qui peut t'arriver.

Bill eut la force de rire avec sa fille avant qu'elle ne quitte la pièce. Il brûlait de poursuivre sa lecture mais avait trop peur d'être surpris par quelqu'un. De plus, il avait un mal de tête atroce et ce qu'il souhaitait le plus au monde, c'était se retrouver seul dans le noir, sans plus aucun objet sur lequel poser les yeux.

Cette fois-ci il rabattit la porte et éteignit la lumière puis il s'allongea sur le petit canapé où il faisait souvent la sieste pendant les périodes de vacances.

Même si son bras recommençait à lui faire mal, il était trop las pour descendre prendre un des cachets qu'on lui avait prescrits.

Étendu dans l'obscurité, il contemplait les ténèbres qui lui donnaient l'illusion d'être douées d'une vie tumultueuse. C'était comme sur les cartes animées des bulletins météo lorsque l'animateur montre au public les mouvements d'un anticyclone. Sauf qu'en cet instant tout était noir. Bill était hypnotisé par des blocs de néant qui s'adonnaient en silence à une valse lente et interminable.

Loin de le rassurer, la réponse de Darlene avait renforcé son inquiétude : si ce n'était pas elle qui avait trouvé le paquet avant de le déposer sur la table, ce ne pouvait être que Lisa.

*

Malgré lui, Bill s'endormit quelques minutes. C'est la voix de Lisa et la sensation délicate de sa main sur son visage qui le tirèrent du sommeil.

— Bill? Tu te sens bien, mon chéri?

Englué dans un état de semi-conscience, il ne put que hocher la tête en signe d'approbation. Il voulut se redresser mais la douleur qui s'était réveillée lui arracha un gémissement pathétique.

— Chut… dit Lisa. Je vais t'aider : on va faire ça en douceur…

La présence de Lisa, son corps. Jamais elle n'avait eu la taille qu'elle désirait, même du temps de sa jeunesse, et jamais elle n'avait été aussi mince que certaines de ses amies mais, désormais que, comme son mari, elle avait largement dépassé la quarantaine, elle avait conservé ses formes voluptueuses quand d'autres femmes semblaient, elles, s'avachir en une douloureuse vieillesse.

Elle passa un bras autour de la taille de Bill et, de l'autre, soutint le plâtre afin de soulager son bras. À sa grande surprise, elle réussit à le soulever sans heurt.

Une fois debout, elle le serra dans ses bras.

— Tu me les feras toutes, dit-elle en souriant après avoir levé la tête en direction de son visage.

Il essaya de plaisanter un peu.

— J'ai voulu danser dans les couloirs, mais cet imbécile de George venait juste de laver le sol…

— Quelle calamité !

Elle passa la main dans les cheveux de Bill : ils étaient humides de sueur. Ce geste lui rappelait celui que sa mère faisait dans son enfance, lorsqu'il était fiévreux.

— Maintenant, dit Lisa, on va descendre manger quelque chose : tu dois bien avoir des médicaments à prendre…

— On passe déjà à table ? demanda-t-il, surpris.

— Il est plus de 8 heures. Tu as fait une grosse sieste, tu sais…

— Lisa, il fallait me réveiller plus tôt !

— Tu dormais si bien. Sauf à l'instant, quand je suis venue te voir : tu gémissais comme si tous les démons de la terre réunis t'infligeaient les pires tortures…

Elle ne savait pas à quel point elle était proche de la vérité.

Ils descendirent à la salle à manger où Darlene et Sally les attendaient. Pour une obscure raison, Sally menaçait sa grande sœur avec une fourchette.

— Chérie, gronda Lisa, tu arrêtes ça immédiatement ou je me fâche!

À contrecœur, Sally obéit tout en décochant à Darlene un regard sombre.

— Papa a besoin de calme, ajouta Lisa, il a eu une journée très pénible.

Cette précision troubla Bill dans un premier temps : il était à ce point obsédé par ce roman qu'il en avait oublié qu'il s'était luxé le coude.

Il s'installa à sa place et Lisa lui apporta les médicaments. Elle avait acheté, comme il le lui avait demandé, une belle pizza qui ne serait pas trop difficile à manger de sa seule main gauche.

Grâce au ciel, Darlene avait déjà raconté à sa mère l'accident dans les moindres détails pendant que Bill dormait et il n'eut pas à subir l'épreuve d'en faire une nouvelle fois le compte rendu.

Il resta silencieux tout le début du repas pendant que Lisa monologuait sur l'incurie de la fac qui portait l'entière responsabilité de son accident.

— De toute façon, ajouta Darlene avec un clin d'œil en direction de son père, personne n'en a rien à foutre de papa, là-bas!

Bill adressa un sourire complice à sa fille alors que Lisa lui intimait de surveiller son vocabulaire.

— Pourquoi dis-tu que personne ne se soucie du sort de ton père? lui demanda-t-elle.

— Parce que personne n'a appelé pour prendre de ses nouvelles de toute la journée.

Lisa se tourna vers Bill, affligée.

— C'est pas croyable, soupira-t-elle, tu aurais pu te tuer et personne n'a seulement daigné passer un coup de fil…

— Oh, dit-il dans un souci d'apaisement, ce n'est pas bien grave, chérie. Il n'y a que George qui était au courant et, le connaissant, il a sûrement oublié d'informer l'administration… Ils ne doivent même pas savoir que je suis allé à l'hôpital.

Lisa secoua la tête, peu convaincue. De son côté, Bill en profita pour glisser une phrase en toute innocence.

— Et puis, tout compte fait, il vaut mieux qu'ils n'aient pas appelé ici entre midi et deux. Imagine : tu aurais été totalement paniquée si tu avais appris par quelqu'un d'autre que j'avais eu un accident.

— Oui, certainement, répondit-elle, mais je ne suis pas rentrée à la maison aujourd'hui, alors je ne l'aurais pas su avant ton coup de téléphone, et ça ne change rien au fait que je les trouve un peu légers…

Elle poursuivit en alignant quelques banalités sur l'inhumanité grandissante du monde où ils vivaient. Darlene lui répondit et un débat s'ensuivit entre elles, auquel Bill n'eut pas le courage de participer.

Lisa n'était pas rentrée de la journée, elle non plus. Bill avait pourtant trouvé le paquet à son nom posé sur la table de la salle à manger.

Il eut le plus grand mal à avaler sa bouchée de pizza : quelqu'un serait entré chez lui en son absence pour introduire ce livre dans sa maison ? C'était impossible, les choses allaient trop loin.

L'inquiétude le coupait de son environnement : il voyait les visages de sa femme et ses deux filles afficher des expressions diverses, leurs mains remuer, leurs bouches mastiquer la nourriture… mais il ne les entendait plus, trop occupé à chercher une explication rationnelle à la présence du livre chez lui et sans qu'il soit passé par la case boîte aux lettres.

VI

La plupart du temps, Bill ne croyait pas en Dieu, sauf lorsqu'il souffrait d'insomnie. Une invention aussi perverse et dépourvue de bon sens – empêcher un organisme fatigué de se reposer pour reprendre des forces – ne pouvait pas être le fruit du hasard.

Lisa n'avait pas ce genre de problèmes : chaque soir, quelques minutes après s'être couchée, elle sombrait dans un sommeil de huit heures qu'aucun orage ni aucune attaque nucléaire n'auraient pu interrompre. La seule exception à cet état de choses datait de la mort de Larry, et leur médecin de famille, pour la première fois, avait dû lui prescrire des somnifères qui l'assommaient, littéralement.

À ses côtés, Bill contemplait le plafond, ce qui ne lui arrivait jamais : c'était là une des nouveautés occasionnées par son bras plâtré. Le mouvement des feuilles du frêne blanc, renvoyé par les lampadaires extérieurs, était projeté sur cette toile de fond grise, parfaite et déprimante.

Il jeta un œil sur le réveil : il était presque 1 h 45. Il ne put résister plus longtemps et décida de se lever.

Il pivota maladroitement, étouffa un gémissement de douleur et, sans même oser respirer, attendit d'être sûr qu'il n'avait pas réveillé Lisa. Cette dernière ne bougea pas et Bill finit par sortir du lit sans encombre.

Il gagna son bureau en pantoufles et emmitouflé dans un plaid – il avait renoncé à enfiler sa robe de chambre – et, exceptionnellement, il ferma la porte dernière lui.

Il s'installa dans son fauteuil et remarqua que la pièce était glacée. Il ouvrit le tiroir, en sortit le roman, et se demanda si tout ce froid n'émanait pas de ces pages remplies à ras bord de secrets, de mort et de honte.

Alors qu'il était venu pour ça, Bill comprit qu'il ne réussirait pas à lire une seule ligne de cette prose maléfique : il voulait savoir ce que l'écrivain avait mis dans le livre, jusqu'à quel point il approchait de la vérité, mais quelque chose le paralysait.

Il avait peur.

Quand il put mettre ce mot tout simple sur le malaise horrifié qui l'envahissait, il se fit la réflexion qu'il l'avait toujours employé sans en connaître le sens profond jusqu'à ce jour. Peut-être en allait-il de la peur comme de l'amour : on en parlait trop souvent sans l'avoir jamais rencontrée.

Ne supportant même plus de l'avoir sous les yeux, il fit à nouveau disparaître le bouquin dans son tiroir.

Cette fois-ci, il prit soin de le dissimuler sous les chemises cartonnées qui s'entassaient à l'intérieur.

Il alluma ensuite son ordinateur pour répondre à quelques questions urgentes : tout d'abord, qui était ce type, ce Kirkpatrick ? D'où venait-il et que voulait-il ? Et surtout : comment savait-il ?

Après une recherche rapide, Bill fut en partie soulagé : cet écrivain débutant n'était pas encore une gloire nationale et sa renommée semblait se limiter à son État de résidence de l'Oregon. Avec un peu de chance – et comme dans la majorité des cas similaires –, ça n'irait pas plus loin et il sombrerait dans l'oubli.

Il ne trouva aucun renseignement sur la vie privée de Richard Philip Kirkpatrick, 31 ans. Presque rien sur son roman, hormis trois ou quatre articles basiques dispersés sur des blogs sans grande audience.

Bill compulsa toutes ces pages finalement assez répétitives et trouva quelques informations sur la façon de travailler du primo-romancier. Si les habitudes d'écriture de Kirkpatrick étaient le dernier des soucis de Bill, ses sources d'inspiration l'intéressaient en revanche au plus haut point.

Il débusqua finalement une seule interview de l'auteur sur le site d'une radio de l'Oregon. Il n'était plus possible de l'écouter en podcast et Bill dut se contenter de la lire avec attention. Cependant, il n'en tira rien de consistant.

À la question : « Comment vous est venue cette idée de soirée terrible dont les conséquences réelles ne se font sentir que vingt ans après ? », l'écrivain répondait : « Comment viennent les idées ? Vaste sujet… (Une pause.) Celle-ci m'est venue sous forme d'une question morale : "Est-ce qu'un homme peut vivre en oubliant ses propres méfaits ?" ou, pire : "Peut-on vivre en mettant délibérément de côté ses mauvaises actions, y compris les plus extrêmes ?" Toutes ces interrogations, je les ai reformulées en une seule : "Comment vit un homme qui a commis l'irréparable et ne s'est jamais fait rattraper par son passé ?" »

Bill survola le reste de l'interview et ses yeux s'arrêtèrent sur une autre question posée à Kirkpatrick.

« Vous pensez donc qu'il peut exister des individus qui, jamais, ne culpabiliseraient après avoir commis des meurtres de sang-froid ?

— Je crois, oui, répond Kirkpatrick. Il n'y a pas que les tueurs en série et les sociopathes qui peuvent vivre avec le crime, j'en suis convaincu. On m'objectera que c'est très rare et que M. Tout-le-Monde ressentira toujours une forme de culpabilité, mais c'est faux. Il regrettera surtout d'avoir fait quelque chose susceptible de lui attirer des ennuis. De faire s'effondrer son petit monde construit sur un mensonge et… »

Bill ferma l'onglet et passa à la page suivante. Les quelques mots prononcés par ce péteux d'écrivaillon l'avaient mis hors de lui. Qu'est-ce qu'il pouvait bien savoir de ce qui s'était passé cette nuit-là pour balancer de tels jugements de valeur ?

Très vite, il comprit qu'il ne trouverait aucun renseignement utile sur internet. De plus, Kirkpatrick était sans doute un pseudonyme puisque Bill n'avait trouvé aucune mention de ce nom accolé à autre chose que son roman.

Son cerveau bouillonnait sous le double effet de l'inquiétude et de la codéine. Devait-il essayer de prendre contact avec Kirkpatrick par le biais de son éditeur? Non, cela susciterait des interrogations : jamais un professeur de littérature de son rang n'aurait cherché à approcher un écrivain de ce genre. Pire encore, cela aurait pu paraître suspect, et être perçu comme une forme d'aveu. Le roman venait tout juste d'être publié et sa très faible audience ne justifiait en rien d'entrer en relation avec son auteur.

À condition qu'il soit vraiment au courant du fond de vérité sur lequel il avait construit son histoire, pensa Bill. Après tout, il n'était pas exclu que quelqu'un d'autre la lui ait racontée…

Il secoua la tête violemment et étouffa un grognement d'impatience : *personne* ne pouvait être au courant de ce qui s'était passé cette nuit-là. C'était impossible, aussi insoluble que la tentative d'assassinat de Mathilde Stangerson.

Il se rappela les mots promotionnels qui figuraient sur la couverture.

On ne sait jamais si on est dans le surnaturel ou la manipulation, ou les deux à la fois.

Étant entendu qu'il ne croyait pas au surnaturel, on essayait de le manipuler. Oui, c'était évident, on se jouait de lui et il se dit qu'il était en train d'agir exactement comme on le voulait.

Mais qui pouvait être ce « on » ? Kirkpatrick ou quelqu'un d'autre ? Et s'il s'agissait bien de Kirkpatrick, pouvait-il avoir été présent sur l'île ce soir-là ?

Une chose traversa son esprit, qui le fit se sentir comme le dernier des imbéciles : Kirkpatrick avait 31 ans, ce qui voulait dire qu'il n'avait que 10 ou 11 ans à l'époque des faits. C'était forcément quelqu'un qui lui avait raconté cette histoire, et il l'avait réutilisée en toute candeur pour son premier roman, comme font tant d'écrivains débutants.

Désormais, Bill se creusait la tête pour trouver le moyen d'atteindre Kirkpatrick, de lui poser des questions en toute innocence sans éveiller de soupçons. Dans le même temps, son côté rationnel essayait de le convaincre de ne pas se précipiter : jamais personne ne songerait à lui chercher des poux dans la tête à cause d'un roman à suspense vaguement fantastique.

Oui, mais… Que se serait-il passé si Lisa l'avait lu ? Aurait-elle reconnu les lieux, les personnages – *son* personnage, et celui de Bill, de Neal, de Mary ?

À nouveau, l'angoisse l'emporta sur la raison et l'obsession d'arracher des informations à ce fouille-merde d'écrivain prit le dessus.

Bill ôta ses lunettes et se passa la main sur le visage quand une vision mentale lui glaça le sang : et si Neal et Mary, eux aussi, avaient reçu le roman ?

Plus il y pensait, plus ça paraissait évident : il n'y avait aucune raison pour qu'on ne leur ait pas adressé un exemplaire à eux aussi puisque Bill et Lisa l'avaient reçu le même jour.

Comment avaient-ils réagi alors? Mary? Bill l'imaginait tombant des nues, même si elle avait assez de force pour encaisser le coup et, cependant, mieux valait pour lui ne pas croiser son chemin, après tout ce qu'ils avaient vécu. Il lui avait tout caché, avec la bénédiction de Neal, et jamais elle n'avait été au courant de l'issue tragique de la course-poursuite avec le rôdeur.

Et Neal? Bill murmura son nom pour lui-même dans le silence glacial de son bureau seulement éclairé par la luminosité d'un blanc bleuté que diffusait l'écran d'ordinateur.

Neal Ginsburg.

Pendant ses dernières années de fac, ce nom avait fait naître un sourire sur le visage de Bill dès que quelqu'un le prononçait. Il avait été le type le plus drôle qu'il avait jamais rencontré. Le plus inconséquent aussi, ce qui n'était probablement pas sans rapport.

De toute leur bande, Neal était le garçon qui était parti de rien, ou presque. Il était boursier mais pas travailleur pour deux sous. Pourtant, grâce à une mémoire phénoménale et un esprit de synthèse admirable, il avait survolé toute sa scolarité avec une aisance insolente.

Pendant que les autres suaient sang et eau au cours des semaines qui précédaient les partiels, Neal allait au cinéma, draguait des filles, courait les expositions dans les musées et, quand Bill et les autres s'accordaient une pause, il revenait et leur parlait de ses journées avec un tel art de la narration que, bien des années après, Bill était convaincu d'avoir vécu ces souvenirs en sa compagnie.

Neal en faisait trop, tout le temps. C'était presque toujours sur lui que reposait la réussite de leurs soirées et des fêtes où ils se rendaient. À l'inverse, lorsqu'il traversait d'inexplicables périodes de mélancolie, son humeur noire s'étendait à tout ce qui l'entourait comme un virus hautement contagieux. Combien de fois avait-il disparu plusieurs jours d'affilée sans fournir la moindre explication ? De tous ses amis, Bill s'était constamment inquiété pour Neal plus qu'aucun autre durant ces périodes.

Il était le frère qu'il aurait dû avoir.

C'était du moins ce que Bill pensait jusqu'à ce soir d'été où ils avaient décrété, tous les deux, de ne plus jamais se revoir ni même d'entrer en contact, et cela pour le restant de leurs jours.

La réaction de Neal face au bouquin ? Elle dépendrait de son humeur : si tout allait bien pour lui, s'il se trouvait dans une de ses périodes Neal-le-hâbleur-séducteur, alors rien de tout cela ne l'aurait atteint. Peut-être même s'en serait-il amusé.

S'il se trouvait dans une phase dépressive, en revanche…

Bill fut tiré de ses souvenirs par une musique agaçante qui lui indiquait qu'il venait de recevoir un courriel. Le petit rectangle qui était apparu en bas de l'écran signalait « un nouveau message de Teresa Carlucci ».

Il cliqua sur l'icône pour faire apparaître le message de la directrice qui, décidément, ne fermait plus l'œil de la nuit à mesure que la fête de Percy Rogers approchait.

Elle s'inquiétait apparemment de la santé de Bill et des répercussions de son accident sur sa participation aux festivités. Bill ressentit une méchante envie de l'envoyer paître, mais il eut soudain une idée.

En même temps que celle-ci cheminait dans son esprit et se dessinait plus nettement, son visage s'éclaira d'un sourire satisfait. Oui, il avait décidé d'honorer le contrat moral qui le liait à Mme Carlucci en dépit de son état de santé, et il aurait quelque chose à lui demander en retour.

Bill faillit rédiger une réponse pour la directrice immédiatement avant de juger préférable d'attendre le lendemain. Il éteignit l'ordinateur et retourna se coucher auprès de Lisa. S'il n'avait encore aucune réponse concernant ses doutes et ses inquiétudes sur le livre de Kirkpatrick, il se disait qu'une solution était désormais à portée de main.

VII

Le lendemain, en fin d'après-midi, on frappa à la porte.

Bill, malgré une courte nuit, s'était réveillé de bonne heure et avait eu une journée excellente : il était excité comme un candidat aux primaires dont la victoire ne fait plus aucun doute – même si la route jusqu'à la Maison-Blanche est encore longue.

Un peu plus tôt, il avait reçu la réponse positive de Mme Carlucci à sa demande, ce qui l'avait envoyé au septième ciel.

Il était dans son bureau lorsqu'il avait entendu frapper et s'était précipité jusqu'à l'entrée. Comme il l'avait prévu, Alan attendait sur le perron. Elle était toujours aussi charmante et joufflue sur son corps mince et si fragile. Peut-être semblait-elle plus gênée que la veille. Ce sont des choses qui arrivent quand l'urgence qui a rapproché deux êtres lors d'une situation critique se dissipe et les rend à leurs places habituelles.

De son côté, Bill voyait Alan comme la ravissante étudiante miraculeusement débarquée d'un État de bouseux pour venir apporter une touche de lumière et de fraîcheur dans sa vie.

— Alan ! s'exclama-t-il. Entrez, mon petit, je vous en prie !

— Bonjour, monsieur Herrington, dit-elle en franchissant le seuil, comment vous sentez-vous aujourd'hui ?

— Mieux, beaucoup mieux ! Tout ça grâce aux antidouleurs : je commence à comprendre les drogués, l'effet de ces cachets est miraculeux.

Il éclata de rire et Alan l'accompagna en cachant son sourire derrière sa petite main. Elle parut tout de suite plus détendue.

Bill la fit s'installer dans le salon où il avait préparé un encas. En réalité, il avait fait livrer quelques pâtisseries en urgence quand il avait appris qu'Alan avait accepté de passer le voir après ses cours, comme Mme Carlucci le lui avait demandé.

— C'est pour moi, tout ça ? s'étonna Alan en regardant les gâteaux.

— Eh bien, répondit Bill en affectant d'être vexé, je pensais partager ce festin avec vous, mais si votre appétit l'exige, je vous laisserai tout manger…

Cette fois-ci, le visage d'Alan vira au cramoisi.

— Bien sûr, bredouilla-t-elle, ce n'est pas ce que je voulais dire… Je…

— Je vous taquine, voyons ! Asseyez-vous donc et choisissez ce que vous voulez : j'ai quelque chose à vous dire.

Alan acquiesça et prit place dans le fauteuil d'un rose layette passé où Bill avait l'habitude de s'installer. Il n'en fit rien et s'assit sur le canapé.

Il arbora une mine plus sérieuse et mit les pieds dans le plat pendant qu'Alan entamait un chou à la crème.

— Alan, dit-il, j'ai demandé à la directrice Carlucci de vous faire venir ici pour une raison précise : j'ai beaucoup réfléchi à notre discussion d'hier, au sujet de… ce roman, et…

Alan, la bouche pleine de crème et les yeux soudain écarquillés, leva les mains en direction de Bill.

— C'est vrai, dit-elle après avoir avalé sa bouchée, je l'ai fini cette nuit ! Je vous l'ai rapporté !

Elle s'empara de son sac pour commencer à le fouiller mais Bill l'arrêta.

— Non, non, je ne voulais pas que vous me le rendiez ! En vérité, je crois que j'ai été borné, Alan, et vous m'avez aidé à y voir plus clair…

Alan reposa son sac à côté d'elle, prit une tartelette aux fraises et fixa Bill, prête à l'écouter religieusement.

— Vous aviez raison, poursuivit-il, je n'ai pas le droit de me montrer aussi snob concernant des livres au seul prétexte que ceux-ci se vendent bien. Je serais d'ailleurs bien attrapé si un jour on publiait les romans de Stephen King dans la *Library of America*.

Il eut un petit rire mondain auquel Alan ne répondit pas puis il s'éclaircit la voix.

— Bref, dit-il, je crois qu'il serait bénéfique pour mes élèves d'avoir un contact avec une forme de littérature populaire tout en la considérant d'un point de vue académique. Notre école n'a pas les moyens d'organiser la venue d'un King ou d'un Grisham, mais Mme Carlucci m'a donné son accord de principe pour inviter Kirkpatrick.

Bill afficha un sourire satisfait et attendit la réaction d'Alan. Il s'était préparé à une explosion de joie et en fut pour ses frais.

— Vous allez faire venir Kirkpatrick à Henry Cushing ? demanda Alan sans dissimuler sa perplexité.

La tiédeur de la jeune fille fit monter le rose aux joues de Bill.

— Je… Je pensais que cette nouvelle vous ferait plaisir, bégaya-t-il.

Alan secoua la tête pour le détromper.

— Ah, mais je suis très contente, s'empressa-t-elle de préciser, seulement ça m'étonne de vous : hier, vous avez regardé le livre comme si c'était…

Elle s'interrompit. Bill comprit qu'elle ne voulait pas prononcer le mot « merde » devant son professeur.

— Enfin voilà, quoi, reprit-elle, c'est assez inattendu, d'autant plus que vous n'avez même pas lu le bouquin…

— Ce que j'en ai lu m'a suffi, dit Bill avec un sourire qui se voulait rassurant.

— Ce que vous en avez lu ? demanda Alan, interloquée.

— Oui, je…

Bill prit conscience de l'impair qu'il venait de commettre : Alan ignorait qu'il possédait un deuxième exemplaire destiné à sa femme et une telle information troublerait la jeune fille.

Il rit comme si on venait de lui faire une bonne blague.

— Désolé, Alan, je dois avoir l'esprit embrumé : vous m'en avez parlé hier avec une telle passion et un talent de narration si achevé que j'ai commis un lapsus !

Elle fut tellement flattée qu'elle avala cette explication sans problème.

— Bon, dit Bill, je pensais vous demander d'entrer en contact avec Kirkpatrick pour préparer sa venue mais si vous ne voulez pas, je peux me tourner vers un autre élève…

— Non ! Je serais ravie de le faire, mais qu'en penseront les autres étudiants ? Je viens juste d'arriver et je suis déjà désignée pour un projet plutôt inattendu…

— Ils n'avaient qu'à faire preuve d'enthousiasme et d'esprit d'investissement, trancha Bill, alors maintenant répondez-moi par un seul mot : acceptez-vous, oui ou non ?

Il adressa un regard complice à la jeune fille qui acquiesça en souriant.

— Épatant ! s'exclama-t-il. Pour la peine, vous pouvez reprendre un gâteau.

Elle minauda mais engloutit finalement un baba au rhum. Elle semblait avoir l'habitude de beaucoup manger et Bill s'étonna qu'elle ne fût pas plus grosse.

Ils abordèrent par la suite des points de détail concernant la marche à suivre pour contacter Kirkpatrick et Bill proposa de jouer les intermédiaires, au moins au départ.

— Vous comprenez, dit-il, c'est très fastidieux comme démarche, au début. Il faut solliciter l'agent ou l'éditeur et, si c'est un professeur qui est à l'initiative, ça passera mieux. Une fois ces formalités accomplies, je vous refile la patate chaude et vous vous débrouillez! Ça vous va?

— Naturellement! Je ne sais pas quoi dire pour vous remercier, c'est tellement galvanisant! En plus, c'est vraiment un très bon roman : la fin est assez imprévisible! Peut-être trop pour que ça devienne un best-seller...

— Formidable! Ça ne fera que rendre l'analyse plus intéressante!

Alan allait répondre quelque chose quand la sonnerie du téléphone des Herrington l'interrompit.

— Je vous prie de m'excuser, dit Bill en se levant.

Toujours souriant, il décrocha.

— Bill Herrington à l'appareil! lança-t-il, plein de bonne humeur.

Une voix de femme lui répondit.

— Monsieur William Herrington? Je me présente, je suis Peggy Bellingham, j'espère que je ne vous dérange pas...

— Pas le moins du monde, chère madame! Que puis-je pour vous?

— Eh bien voilà : je crois que vous connaissiez mon mari, Neal Ginsburg.

Bill eut l'impression qu'une tonne de neige accumulée sur le toit de la maison venait de lui tomber sur la tête. Toute sa bonne humeur avait disparu en une fraction de seconde.

— Monsieur Herrington ? demanda la femme.

— Oui, oui, Neal, bien sûr… Attendez une seconde, je vous prie.

Il colla le téléphone contre sa poitrine et se retourna vers Alan.

— Continuez à manger, murmura-t-il, ce ne sera pas long, je vais dans mon bureau pour être plus tranquille.

— Je peux partir si vous voulez…

— Surtout pas, je reviens bientôt.

Il laissa Alan seule dans le salon. Certes, il n'avait rien de plus à lui dire mais il appréciait réellement sa compagnie.

Une fois dans son bureau, il reprit le fil de sa conversation.

— Madame…

— Bellingham, dit la femme pour lui venir en aide.

— Oui, madame Bellingham, dit-il en se forçant à rire, je connaissais bien Neal dans notre jeunesse en effet. C'était un de mes amis les plus proches. Même si nous ne nous sommes pas vus depuis des années…

— C'est ce que j'ai pensé… mais Neal parlait si peu de ses années de jeunesse.

Peggy Bellingham ne dit rien durant un instant. Elle devait penser à Neal et à leur mariage. À tous les souvenirs qu'avait engendrés ce début de conversation.

Bill ressentit quelque impatience.

— Et que me vaut le plaisir de votre appel, madame Bellingham?

— Excusez-moi… C'est que tout cela est un peu étrange pour moi : j'ai reçu hier matin un paquet adressé à Neal. Un roman avec une dédicace manuscrite qui mentionne votre prénom. Comme je n'avais aucune idée de qui pouvait être Bill, j'ai cherché dans les affaires de Neal et…

Elle marqua une pause, comme si elle cherchait à employer les mots les plus justes. Cette hésitation donna l'impression à Bill qu'il venait d'avaler une bouchée de pâtisserie rance. Son cerveau commençait seulement à tirer les conclusions qui s'imposaient à lui depuis le début de cet appel.

— Madame Bellingham, demanda-t-il, comment va Neal? Est-ce qu'il est près de vous?

Un nouveau silence s'interposa entre eux. Bill devina qu'il était dû au malaise grandissant de son interlocutrice.

— Je suis navrée, reprit-elle, Neal est mort il y a deux ans. C'est la raison de mon appel. Je me suis dit que vous lui aviez envoyé ce livre sans savoir qu'il n'était plus de ce monde. Quant à moi, ça m'a remuée de voir le nom de mon mari décédé sur ce paquet, je peux vous le dire…

— Neal est mort…

— Oui. Rupture d'anévrisme. J'ai bien failli devenir folle quand c'est arrivé.

— Je suis désolé de l'apprendre, madame Bellingham, je… je me sens fautif de ne jamais avoir pris de nouvelles.

— Je ne peux pas vous en vouloir : Neal non plus n'a jamais cherché à vous joindre pendant que nous étions mariés, donc…

— Vous disiez que la dédicace était signée de mon nom ?

— Non, en fait c'était une formule comme « au bon souvenir de Bill » ou quelque chose comme ça. Attendez un instant que je mette mes lunettes.

Bill entendit ensuite un bruit de pages qu'on tourne avant que Peggy Bellingham ne reprenne la parole.

— Voilà, ça dit exactement : « À mon cher Neal Rabbit Ginsburg, avec le bon souvenir de Bill. » Je vous ai retrouvé grâce aux photos de jeunesse que Neal gardait dans un carton. Je n'ai rien jeté de ce qui lui appartenait. Vous y apparaissiez entourés de quatre autres jeunes, deux garçons et deux filles. Neal avait noté tous vos noms au dos de la photo…

Ce fut au tour de Bill de ne plus savoir quoi répondre : Neal était mort. Et depuis plus de deux ans, ce qui était encore plus insupportable. S'il y avait une vie après la mort, Neal avait sans doute remarqué que pas une fois son frère de cœur n'avait pensé à lui en deux longues années. Sauf pour espérer qu'il ne lui créerait pas d'ennuis en étalant leur secret au grand jour…

Au bout du fil, Peggy poursuivait la conversation.

— Rabbit, dit-elle, songeuse, je ne lui connaissais pas un surnom pareil…

Bill ne put s'empêcher de rire.

— C'est normal, dit-il, c'est nous qui le lui avions donné. Neal détestait la lecture. Le seul auteur qu'il lisait était John Updike. Surtout sa série romanesque centrée sur Rabbit.

Oui : un surnom connu de Bill et des quatre autres. Et c'était tout.

Peggy poussa un léger soupir. Bill devina qu'un sourire mélancolique venait de naître sur le visage de cette femme inconnue de lui à laquelle il était lié par le souvenir de son ami mort.

— Où habitez-vous, madame Bellingham? demanda-t-il soudain.

— Je vis dans le Massachusetts, là où Neal et moi avons passé toute notre vie…

Le Massachusetts? Ce n'était pas vraiment l'autre bout du pays. Bill aurait bien rendu une visite de courtoisie à la veuve de Neal, mais cela aurait été un voyage trop précipité, très difficile à justifier par le simple souhait de présenter des condoléances avec deux ans de retard.

Trouvant que Bill mettait trop de temps à répondre, Peggy reprit la parole.

— Vous savez, pendant un moment, j'ai cru que vous étiez l'auteur du roman, mais quand j'ai vu l'âge indiqué sur la couverture, j'ai compris que vous ne pouviez pas être ce jeune homme… J'ai cru que vous lui aviez envoyé ce livre pour une raison ou pour une autre, mais…

— Non, dit Bill, non, ce n'est pas moi…

— Bien, alors c'est peut-être un autre « Bill ». Pourtant celui-ci n'apparaît nulle part dans les souvenirs de mon mari.

Bill mentit en disant que oui, ça devait être l'œuvre d'un autre Bill.

Ils échangèrent encore quelques banalités puis se quittèrent sur une formule polie.

Après avoir raccroché, Bill trouva d'une ironie étrange le fait que Peggy Bellingham et lui, le même jour et à quelques centaines de kilomètres de distance, étaient tombés sur la même photo de leur groupe et l'avaient contemplée, lui avec un sentiment de nostalgie effrayée, elle avec mille questions en tête sur la jeunesse de son mari.

Alors qu'il redescendait au salon pour rejoindre Alan, Bill réfléchit à ces nouveaux éléments : Neal était mort, et on lui avait bel et bien envoyé un exemplaire du roman. Cela signifiait que Mary, elle aussi, en avait reçu un. Allait-il recevoir un autre appel d'ici peu ?

Quand il arriva au salon, Alan n'était plus là : elle était sur la terrasse et passait un coup de téléphone. Elle aperçut Bill, lui sourit, puis raccrocha après avoir conclu prématurément sa conversation.

— Il ne fallait pas vous presser pour moi, lui dit Bill, je pouvais attendre.

— J'avais terminé : c'était ma coloc qui voulait savoir si je rentrais ce soir.

— Vous avez l'habitude de découcher ? demanda Bill avec une curiosité évidente.

— Non, pas du tout, répondit Alan, troublée, elle me pose la question surtout pour elle : elle est souvent fourrée chez son copain et elle n'aime pas laisser l'appartement vide. Comme je mène une vie de nonne, avec moi elle est tranquille. Même si elle me demande chaque jour si je « découche », comme vous dites…

Cette dernière remarque plongea Bill dans l'embarras.

— Voulez-vous finir les gâteaux ? demanda-t-il pour changer de sujet.

— Non merci, professeur : je vais y aller, j'ai du travail en retard. Vous voulez que je vous rende votre livre, pour que vous le lisiez ?

— Pas la peine, gardez-le pour le moment, c'est vous qui allez travailler dessus après tout. Je le lirai plus tard.

Sur ces mots, il raccompagna Alan à la porte.

Une fois seul, il retourna dans son bureau et s'allongea sur le canapé pour réfléchir : il lui faudrait désormais contacter ce Kirkpatrick via sa maison d'édition pour le faire venir à Henry Cushing, mais avant, il devait finir de lire ce foutu bouquin, même s'il n'en avait aucune envie.

Il se releva et sortit le roman de sous les dossiers accumulés dans le tiroir. Il avait encore deux bonnes heures devant lui avant le retour de Lisa et des filles. Il s'installa donc au bureau et s'attela à la lecture.

*

Lorsque Lisa arriva avec Sally, Darlene n'était pas encore rentrée – Bill avait oublié qu'elle passait la nuit chez une amie.

Concernant le roman, il n'avait pas avancé autant qu'il l'aurait voulu dans sa lecture : il avait entrepris de lire la fin du livre en diagonale mais il avait très vite perdu le fil et avait dû revenir en arrière afin de tout comprendre.

Il maudissait intérieurement Kirkpatrick pour les nombreux détails donnés sur la vie du jeune clochard. Il avait narré en long, en large et en travers son insignifiante existence avant que sa route ne croise celle du groupe des six étudiants.

Tous ces détails ralentissaient considérablement le récit et Bill les sautait allègrement. Le seul problème, c'est que le romancier entremêlait parfois des éléments du présent (vingt ans après l'épisode de l'île) à ceux du passé (l'épisode de l'île) pour les mettre en parallèle avec ceux d'un passé encore plus lointain (vingt ans avant l'épisode de l'île !).

Impossible de lire ça d'un œil distrait. Ce connard d'écrivain s'était pris pour Faulkner. Non content d'avoir puisé dans la vie de Bill un des événements dont il était le moins fier, Kirkpatrick en avait fait un morceau de bravoure littéraire sur le plan du style tout en construisant une intrigue palpitante. Même Bill qui savait de quoi il s'agissait s'était laissé happer par l'histoire.

C'était presque à regret et non sans anxiété qu'il avait abandonné sa lecture quand il avait entendu Lisa monter l'escalier. Il eut juste le temps de dissimuler le livre pour prendre l'autre volume qu'il gardait à portée de main.

Lisa entra en souriant après avoir fait mine de frapper.

— Tu es rentrée, chérie, dit Bill.

— Oui… Qu'est-ce que tu lis? répondit-elle en se penchant pour déchiffrer le titre.

Il leva l'ouvrage vers elle.

— Henry James, encore? remarqua-t-elle en souriant.

— On ne se refait pas, répondit-il.

Lisa vint s'installer à côté de lui sur le canapé puis elle le fixa.

— Olivia m'a appelée aujourd'hui, dit-elle, elle voulait savoir si ça te dérangeait de prendre Gavin avec toi l'après-midi où elle doit se rendre chez le notaire. Elle a peur que ça dure un peu longtemps et comme tu es en arrêt pour un bon moment…

— Oui, aucun problème, dit Bill qui cherchait à dissimuler son manque d'enthousiasme à envisager une journée en tête à tête avec son jeune neveu.

— C'est gentil à toi, dit Lisa en souriant, elle se retrouvait vraiment coincée. Personne pour lui donner ce coup de main…

— Elle aurait dû m'appeler sur mon portable, fit observer Bill, j'aurais pu le lui confirmer tout de suite…

— Je sais, mais tu dois l'impressionner. Et elle sait que tu n'aimes pas trop Gavin…

— C'est faux ! essaya-t-il de se défendre.

Lisa lui adressa un regard à ce point chargé d'ironie qu'il ne put s'empêcher de persévérer dans son mensonge.

— Je n'aime pas les petits garçons en général, précisa-t-il, ils sont tous idiots. Ça n'a rien à voir avec Gavin en particulier.

Cette dernière remarque arracha un éclat de rire à Lisa. Cela fit du bien à Bill de la voir rire avec tant de candeur. Il pensa aux funérailles de Larry qui se dérouleraient le surlendemain et une ombre passa sur son visage.

— Je sais à quoi tu penses, dit Lisa, mais la vie continue…

De sa main valide, Bill caressa la joue de sa femme. Celle-ci en profita pour y déposer un baiser avant de se lever pour redescendre préparer le dîner.

— Au fait, dit-elle avant de quitter la pièce, personne n'a appelé cet après-midi ?

— Non, répondit Bill. Personne.

Il aurait pu supporter bien des choses ce soir-là, mais évoquer la mort de son ancien meilleur ami n'en faisait pas partie. Il pensait s'en être tiré à bon compte lorsqu'il vit une lueur de suspicion moqueuse briller dans les yeux de sa femme.

— Tu es *certain* que personne n'a appelé ? répéta-t-elle.

Ce ne fut qu'à cet instant qu'il se souvint d'un détail et il s'en voulut d'avoir oublié ça : le deuxième téléphone devait clignoter à cause de l'appel de Peggy Bellingham. Il aurait dû effacer la liste des appels reçus. Il ne couperait donc pas à une évocation détaillée et douloureuse de l'existence de Neal, ainsi que de sa fin prématurée.

— Oh, c'est vrai, il y a bien eu un appel, répondit-il finalement. C'était la femme de Neal.

Lisa fit demi-tour et planta sur Bill un regard éberlué.

— La femme de Neal ? répéta-t-elle. Neal Rabbit ?

Bill se contenta d'acquiescer. Depuis combien de temps n'avait-elle pas prononcé ce surnom ? Une éternité. Une époque à laquelle Neal vivait encore.

— Mais qu'est-ce qu'elle voulait ? demanda-t-elle.

— Rien de particulier. Bavarder un peu parce qu'elle avait trouvé une photo dans les affaires de Neal. Une photo de notre groupe en dernière année à Princeton. Comme il y avait mon nom derrière, elle m'a cherché et a appelé ici...

— Et pourquoi elle a appelé ? demanda Lisa en fronçant les sourcils.

Bill reconnut bien cette expression de sa femme : elle avait tout de suite compris ce que cela impliquait. Seule une veuve passe ce genre de coup de fil.

— Neal est mort, dit simplement Bill, il y a deux ans, il a fait une…

Il ne se souvenait déjà plus de quoi Neal était mort.

Il ne parvint même pas à achever sa phrase, car, pendant une seconde, il vit clairement Neal comme si ce dernier venait de le quitter. Toutes ces années de silence entre eux avaient permis à son ami de conserver ses traits de jeunc étudiant de Princeton au regard clair qui saisissait chaque occasion pour éclater d'un rire frais. Ce rire que Bill n'entendrait plus jamais, et auquel il n'avait pas pensé depuis plus de vingt ans. Il comprit seulement en cet instant combien il lui avait manqué : il avait suffi du coup de téléphone d'une inconnue pour qu'il en prenne conscience.

Perdu dans la brume des souvenirs, Bill n'avait plus prêté attention aux paroles de Lisa. Il la vit s'approcher de lui en douceur pour s'installer à ses côtés et le serrer dans ses bras.

Après plusieurs jours à s'être demandé pourquoi ses yeux restaient secs, il pleurait toutes les larmes de son corps.

VIII

Deux jours après, Lawrence Burford, dit Larry, qui aurait dû fêter ses 32 ans le 9 juin suivant, fut enterré auprès de ses parents.

Comme convenu, la dernière place dans le caveau échoirait, le moment venu, à sa tendre et jeune veuve Olivia.

Veuve.

Bill se dit qu'il avait toujours vécu entouré de veuves : ses deux grands-mères, ses tantes, et même une cousine éloignée dont le mari était mort prématurément lors d'un stage de montgolfière organisé par son entreprise : le ballon avait pris feu à cause du moteur et les trois types présents dans la nacelle – sans compter le moniteur – n'avaient pas eu d'autre choix que de sauter en plein vol. Le ballon ne s'était pas élevé bien haut dans les airs mais ça restait assez impressionnant.

Le pauvre type – il s'appelait Rick – était du genre courageux et n'avait pas hésité à se lancer le premier afin de motiver les autres. D'après les témoins, le saut de Rick avait été spectaculaire et il s'était probablement tordu la cheville en tombant.

Gonflés à bloc, ses copains l'avaient imité illico. Le seul problème, c'est qu'ils étaient tombés sur Rick et lui avaient brisé la nuque. Adieu, Rick. Et voilà, cousine Betty, comment on devient veuve.

Et puis il y avait eu la plus récente – dans l'ordre des connaissances, en tout cas.

Peggy Bellingham.

Bill n'arrivait pas à accepter l'idée que Neal était mort, mais plus encore, il n'arrivait pas à croire qu'il avait été marié – et, qui plus est, pendant un bout de temps, de toute évidence.

Au lendemain de son coup de fil, Bill était allé faire une recherche sur internet et avait trouvé le faire-part de décès de Neal paru dans la presse du Massachusetts : en toute logique, son épouse était présentée sous le nom de Peggy Ginsburg. Il se demanda si, en deux ans, elle ne s'était pas déjà remariée.

Qu'en serait-il, alors, de la jeune Olivia ? Son physique était avantageux, et son caractère d'une infinie douceur. Le seul obstacle, selon Bill, était le petit Gavin.

Ce môme était un poison ambulant. Bill se souvenait que, lorsque Gavin avait 4 ans, il avait décidé que sa journée ne serait pas réussie s'il ne crevait pas l'œil de Sally. Il s'était armé d'une épée en plastique et s'était jeté sur sa cousine en hurlant. Il l'avait ratée et l'épée n'avait fait que heurter la tempe de la

110

gamine qui s'était contentée de répondre en jetant un regard noir au petit garçon.

On lui demanda de ne pas recommencer mais, bien sûr, il n'en fit rien. Comme il était déjà d'une intelligence remarquable, il dut conclure que son expérience avec l'épée était vouée à l'échec : c'était un matériel trop gros et il avait fait trop de bruit en approchant de Sally.

Il s'empara donc de la baguette mandarin d'un mikado qui traînait, s'avança à pas de loup jusqu'à sa proie et, quand il jugea être suffisamment proche d'elle pour réussir son coup, il brandit son arme.

Darlene avait remarqué le petit manège de l'apprenti psychopathe et, sans son intervention, sa sœur aurait fini borgne. Quant à Gavin, il s'était senti si près d'atteindre son but qu'il en conçut une fureur noire et hurla tout son saoul sans discontinuer dès que sa cousine eut déjoué ses plans machiavéliques.

Olivia et Larry furent contraints d'écourter leur visite. Ils partirent en vitesse, Larry tenant le monstre hurlant et gigotant sous son bras jusque dans la voiture.

Lorsque Lisa appela le lendemain pour prendre des nouvelles, Olivia lui apprit que Gavin avait hurlé jusqu'à plus de 2 heures du matin avant de s'endormir. Au petit déjeuner, il semblait être redevenu un petit garçon normal jusqu'au moment où il demanda à sa mère, tout en candeur, quand il retournerait voir sa cousine Sally.

À moins de s'en débarrasser prématurément, Olivia ne se remarierait jamais tant que son fils démoniaque vivrait dans la même maison qu'elle.

Toutes ces veuves… Bill eut un frisson d'effroi en songeant que Lisa pourrait un jour rejoindre ce club de plus en plus populaire.

Il était d'ailleurs l'un des seuls adultes mâles présents aux funérailles. Et de loin le plus vieux. Même le révérend, un jeune homme précieux aux allures d'adolescent et doté d'un fort accent canadien, était plus jeune que lui. Ce dernier célébrait les obsèques avec un ton étrangement enjoué. Sans originalité, il évoqua la vie, la mort, et toutes les choses sur lesquelles la foi jette une lumière apaisante.

Bill aurait souhaité être touché par cette lumière – cette *brûlure*, avait joliment dit le pasteur –, hélas, il était hermétique à toute forme de transcendance. À sa connaissance, Larry n'était d'ailleurs pas moins sceptique que lui, ce qui ne l'avait pas empêché d'exiger une cérémonie religieuse avant de rejoindre ses parents dans l'éternité. Bill avait vu dans cette grâce de dernière minute une précaution superstitieuse. Il espéra sincèrement que, si Dieu existait, Il ne Se laisserait pas berner par cette manœuvre grossière.

Une soudaine brise tira Bill de sa léthargie. Olivia venait juste de dire quelques mots à propos de Larry et de l'être extraordinaire qu'il avait été. Après ce portrait flatteur, Bill se fit la réflexion qu'il s'était trompé d'enterrement. Il n'avait jamais rencontré l'homme charmant et courageux que venait de décrire sa belle-sœur.

Puis ce fut au tour de Gavin de réciter un poème appris à l'école pour la dernière fête des Pères. Les rares membres de l'assistance – le révérend compris – étaient tous en larmes quand il eut terminé. Le pasteur remercia Gavin en lui promettant que son papa devait être fier de lui et avait beaucoup apprécié le poème de là où il était. Le petit garçon baissa alors la tête et murmura que Larry n'avait pas aimé la poésie lorsqu'il la lui avait déclamée.

— Il a dit que c'étaient des conneries sentir-mentalistes, ajouta Gavin avec une pointe de déception.

Comme si elle était responsable de cette horreur, le révérend fit les gros yeux en direction d'Olivia qui porta la main à sa bouche pour étouffer une exclamation outrée.

Bill fit de même, mais c'était pour dissimuler un sourire incontrôlable.

« Un homme capable d'humilier son propre fils le jour de la fête des Pères, pensa-t-il, *ça* c'était mon Larry. »

La cérémonie touchait à son terme et tout aurait pu se dérouler comme pour un enterrement ordinaire si le téléphone de Bill n'avait pas vibré à quelques minutes de la fin. Il fut étonné de voir qu'il s'agissait de sa mère : cette dernière savait pourtant que les obsèques de Larry se déroulaient cet après-midi-là.

Le révérend n'avait pas achevé son sermon et Bill décida d'ignorer sa mère et de la rappeler plus tard mais, quelques secondes à peine après son premier essai, le téléphone vibra de nouveau.

Encore sa mère.

Pendant un bref instant, Bill crut qu'il s'agissait de son père. Après quatre-vingt-dix années de vie bien remplie, deux mariages et une attaque cardiaque, il fallait bien que ça arrive.

Un peu fébrile, il fit signe à Lisa qu'il devait absolument prendre l'appel. Elle parut surprise et il lui fournit à voix basse un début d'explication.

— C'est maman, et elle insiste beaucoup…

Bill lut dans les yeux de sa femme qu'elle partageait son pressentiment.

Il s'éloigna de quelques dizaines de mètres pour être plus tranquille. Le temps de s'isoler près d'une tombe particulièrement sinistre – mais en est-il de gaies ? – dédiée à la mémoire d'une certaine Hedda Parsons, le téléphone s'était tu. C'est lorsqu'il sonna presque aussitôt après que Bill décrocha enfin, au comble de l'angoisse.

— Maman ? dit-il précipitamment. Qu'est-ce qui se passe ? Tout va bien ? Papa va bien ?

— Ton père fait la sieste, répondit sèchement Mme Herrington, il faut qu'on parle, William, et vite !

— Mais… Enfin, maman, tu sais bien que ce sont les funérailles de Larry aujourd'hui ! Ça ne pouvait pas attendre, nom de Dieu ?

Il s'était exprimé sur un ton plutôt vif et tâcha de retrouver son calme avant de reprendre le fil de la conversation. Il jeta un rapide coup d'œil en direction du révérend et de ses ouailles pour s'assurer que personne n'avait été choqué par son juron.

— Maman, qu'y a-t-il d'aussi urgent pour que tu me déranges maintenant?

— Ton père a reçu un livre par la poste : il l'a lu, je l'ai lu, et ce qu'il y a dedans m'a dégoûtée. Littéralement.

Bill n'eut pas besoin de demander quel était le titre de ce roman. Quand bien même l'aurait-il voulu, il n'aurait pas pu. La réponse de sa mère l'avait paralysé. Qu'elle ait lu le roman de Kirkpatrick était une chose, mais qu'elle ait pu y comprendre quoi que ce soit en était une autre.

— Tu es là, William? s'impatienta-t-elle.

— Oui, oui, maman, je… je ne sais pas quoi te dire, je… Ce roman, il…

— Ça suffit, coupa-t-elle, je ne veux pas en parler au téléphone. Tu vas venir ici, c'est clair? Et là, nous discuterons. Ce week-end, c'est possible?

Bill réfléchit. Il maudissait ce merdeux de Kirkpatrick du plus profond de ses entrailles, et le vouait à la damnation éternelle. Il se demandait pourquoi on avait envoyé ce putain de bouquin à tous les gens qu'il connaissait et qui comptaient pour lui. Il y avait beaucoup de choses qui bouillonnaient dans son cerveau et il était incapable de dire à sa mère si, oui ou non, il pouvait leur rendre visite, à elle et à son semi-gâteux de père, dans leur immense résidence du Vermont.

— William? Nous avons été coupés? William?

— Non, non, non! explosa Bill. On n'a pas été coupés, maman, et si c'était le cas, me poser la question serait la chose la plus conne du monde à faire!

La cérémonie était terminée à présent, et cette fois-ci, tout le monde regardait Bill. Au bout du fil, Mme Herrington ne disait plus rien. Son fils reconnut ce silence inquiétant qui avait précédé tant de réprimandes au cours de son enfance – et même de son adolescence.

— Je suis navré, maman, dit-il, c'est juste que je suis à cran, ça va être dur de venir vous voir : j'ai le bras dans le plâtre et…

— Tu t'es cassé le bras? demanda Mme Herrington sans inquiétude réelle.

— Non, pas vraiment, j'ai…

— Peu importe : tu as un arrêt de travail?

— Oui, pour un peu plus de trois semaines, et…

— Alors je t'attends demain. Le plus tôt sera le mieux.

— Mais je ne peux pas conduire : je te dis que j'ai le bras dans le plâtre.

— Prends le train, le bus, l'avion, fais du stop si ça t'amuse mais sois ici demain, s'il te plaît!

Elle avait presque hurlé la dernière phrase et, en temps normal, Bill aurait savouré l'ironie de la formule de politesse par laquelle sa mère avait conclu son oukase.

Bill allait acquiescer – comme toujours lorsque sa mère lui « demandait » quelque chose – quand le problème Gavin lui revint à la mémoire. C'était précisément le lendemain qu'il devait le garder pour la journée.

— Merde, maman, commença-t-il.

— Reste correct : je suis ta mère !

— Non, ce que je voulais dire, c'est que demain, je ne peux pas : je dois garder le petit garçon de Larry pour la journée pendant que sa mère sera chez le notaire et…

— Emmène-le : je te rembourserai le déplacement, quoi qu'il en soit. Et ça fera du bien à ton père de voir un petit garçon puisque tu as décidé de ne lui donner que des petites-filles…

Bill mesura toute l'absurdité de ce qui ressemblait beaucoup à un reproche, mais il ne put s'empêcher de ressentir de la honte, et même une forme de culpabilité quant au fait d'avoir été incapable d'offrir un petit mâle à ses parents. C'étaient là des idées rétrogrades, et d'une stupidité sans nom, cependant elles le blessaient tout de même.

Il marmonna qu'il s'arrangerait pour être à Rutland vers 15 heures et que, de là, il rejoindrait la résidence de ses parents en taxi. Sa mère ne prit même pas la peine de le remercier, précisa qu'elle viendrait les chercher en voiture à la gare et raccrocha.

Il rangea le téléphone dans sa poche et il sentit grandir en lui une furieuse envie de décocher un coup de pied dans la pierre tombale de Hedda Parsons. L'arrivée de Lisa l'en dissuada.

Elle avait quitté le groupe qui se dispersait en direction des voitures et se dirigeait maintenant vers Bill.

— Alors? demanda-t-elle.

— Papa a eu un coup de fatigue, mentit Bill, mais je crois que maman a paniqué pour rien…

Lisa poussa un soupir de soulagement.

— Merci, Seigneur, dit-elle, je crois que j'aurais mal supporté un autre deuil.

Bill remarqua les yeux de sa femme encore rougis par les adieux récents à son petit frère. Il avait l'impression qu'elle s'inquiétait presque autant pour son beau-père nonagénaire qu'elle l'avait fait pour Larry. Il se sentit un peu honteux de n'avoir pas éprouvé plus de chagrin pour lui. Les rapports de Lisa avec M. Herrington avaient toujours été meilleurs que ceux avec sa belle-mère. Bill s'était souvent dit que les clichés avaient la vie dure – et leur raison d'être.

— Même s'il n'y a pas de quoi s'alarmer, reprit Bill, elle serait plus tranquille si j'allais les voir demain…

— Demain? s'exclama Lisa. Dans le Vermont? Tu dois garder Gavin je te rappelle!

— Je le lui ai dit, je sais, mais elle veut que je l'emmène, elle pense même que ça ferait du bien à papa… De voir un petit mec, tu saisis?

Un voile passa sur le visage de Lisa et Bill comprit instantanément qu'elle venait de ressentir la même culpabilité que lui quelques minutes auparavant.

— Tu sais comment elle peut être quand elle a décidé quelque chose, insista-t-il.

Lisa lui offrit son unique sourire de la journée. Oui, elle savait comment pouvait être Barbara. Cette dernière avait probablement été première dame des États-Unis dans une autre vie et en conservait une vieille habitude d'être obéie au doigt et à l'œil.

— Il va falloir que je prévienne Olivia, soupira Lisa, ça ne devrait pas poser de problème : elle a confiance en toi.

Il s'approcha d'elle et l'entoura de son bras valide. Il posa un baiser sur ses lèvres et la remercia.

— Que ferais-je sans toi ? murmura-t-il.

— Des bêtises, répondit-elle avec un sourire las, des bêtises grosses comme celles qui nous poursuivent des dizaines et des dizaines d'années après les avoir faites…

Bill eut un mouvement de recul et considéra Lisa avec perplexité durant une demi-seconde.

— Ne fais pas l'innocent, dit-elle, il suffit que tu t'éloignes de moi cinq minutes et tu montes de toutes pièces une escapade dans le Vermont ! J'ai toujours su que tu cachais une deuxième femme quelque part.

Il éclata de rire et elle l'accompagna.

Ils se mirent à leur tour en route vers leur voiture dans laquelle Sally et Darlene les attendaient déjà. Ils passèrent près de la dernière demeure de Larry, et Bill eut l'impression que le fou rire qu'il venait d'échanger avec sa femme s'était déjà éloigné de plusieurs siècles.

En silence ils montèrent dans la voiture puis Lisa démarra. Tout le monde était censé se rejoindre chez Larry et Olivia.

Bill se demanda si cette façon de désigner la maison allait perdurer longtemps. Pendant quelques semaines, voire des mois, le prénom de feu son beau-frère serait encore associé à cet endroit, puis, petit à petit, il disparaîtrait pour laisser toute la place à celui de la jeune femme. Peut-être même déciderait-elle un jour de déménager pour vivre dans un décor vierge de tous les souvenirs liés à Larry.

Demain leur maison serait vide alors que pendant tous ces derniers mois au moins une personne y était restée le plus clair du temps : Larry. Il avait reçu des soins à domicile même si une hospitalisation se serait révélée inévitable avec l'évolution de la maladie.

Un jour viendrait où la résidence des parents de Bill serait vide elle aussi. Papa mourrait pour de bon, et la maison servirait d'écho au silence lorsque maman serait absente.

De quoi pouvait-elle bien vouloir parler avec Bill ? De toutes les personnes de la famille, elle était sans doute la moins susceptible de connaître les événements qui s'étaient déroulés sur l'île ce soir-là…

Bill sentit monter en lui une bouffée de colère désespérée : même le jour des obsèques de Larry, ce foutu bouquin trouvait le moyen de s'immiscer dans son esprit. Conscient de son impuissance, il jeta un regard empreint d'une mélancolie inquiète sur le paysage qui défilait.

Après avoir longé le grillage du cimetière où les petites pierres tombales disposées comme au hasard firent à Bill l'effet de cailloux blancs et gris abandonnés par les morts inquiets de ne plus retrouver leur chemin, Lisa tourna à gauche et s'engagea sur une route le long de laquelle quelques belles propriétés étaient construites.

Ils arrivèrent à un carrefour et Bill fut saisi de stupeur : Lisa avait à peine ralenti et semblait n'avoir pas vu ce qui glaçait le sang de son mari.

Bouche bée, celui-ci observait le loup qui lui avait rendu visite quelques jours auparavant : il se tenait dans la même position, les yeux plongés dans les siens – il en était sûr : l'animal ne regardait pas la voiture, ni Lisa ou les filles, ni même Bill *et* le reste de la famille, non, il regardait Bill, et lui seul, avec la même intensité que la première fois.

Cela ne dura que quelques secondes mais Bill ne put s'empêcher de se retourner pour scruter le carrefour qui s'éloignait déjà.

— Quelque chose ne va pas ? demanda Lisa.

— Vous n'avez pas vu ? demanda Bill, l'œil désormais vissé au rétroviseur.

Lisa secoua la tête et les filles dirent n'avoir rien remarqué elles non plus.

— Vous êtes sûres ? insista-t-il. J'ai cru voir un gros chien blessé, là-bas, au carrefour.

Lisa jeta un œil dans le rétroviseur et décida de faire demi-tour en dépit de l'étroitesse de la route.

Quand ils furent de retour là où il avait cru voir le loup, Bill sortit de la voiture et se précipita vers la maison devant laquelle la bête était apparue.

Il n'y avait rien.

— Tu as dû te tromper, cria Lisa.

Bill refusa de l'admettre, et n'hésita pas à pénétrer plus avant vers la propriété.

Derrière une porte vitrée, un homme d'une soixantaine d'années l'aperçut et sortit à sa rencontre.

— Je peux vous aider? lui demanda-t-il.

Il paraissait étonné par la présence de ce bonhomme ahuri, tout de noir vêtu et le bras en écharpe, qui entrait chez lui sans vraiment se gêner.

— J'ai cru voir une grosse bête, dit Bill, un très gros animal.

L'homme embrassa du regard les alentours puis fixa Bill.

— Un gros animal, vous dites? Ça fait une heure que je suis dans mon salon et j'ai rien vu de tel, pourtant, je l'aurais vu passer, vous pouvez me croire…

Sa réponse atterra Bill qui scrutait désormais les environs avec un entêtement étrange.

— Vous êtes sûr que ça va? demanda l'homme en s'approchant.

Bill dévisagea le type comme s'il n'avait pas compris ce qu'on venait de lui demander.

Lisa, qui sortait à l'instant de la voiture, s'approcha d'eux.

— Ce n'est rien, dit-elle à l'homme, nous revenons juste d'un enterrement et mon mari est encore un peu… décalé.

L'autre hocha la tête et Lisa prit Bill par le bras pour le ramener jusqu'au véhicule. Elle l'aida à s'installer, lui passa la ceinture de sécurité comme elle le pouvait, puis claqua la portière.

L'homme que Bill venait de déranger les détaillait toujours d'un œil à la fois méfiant et compatissant. Plus tard dans la nuit, Bill penserait qu'il l'avait pris pour un arriéré mental ou une sorte d'handicapé.

Lorsque Lisa reprit le volant, elle ne dit rien – jamais elle ne questionnait son mari en présence de leurs filles. Elle le ferait plus tard, au moment d'aller se coucher. Pour l'instant, seule Darlene se risqua à demander à son père s'il allait bien. Bill, qui avait retrouvé ses esprits, lui répondit que tout allait pour le mieux et lui sourit.

Ce n'était qu'un loup, pensait-il, un loup que lui seul avait vu.

IX

Le lendemain, Bill était dans le bus en compagnie de Gavin. Le voyage durerait un peu plus d'une heure et demie.

Olivia avait été agréablement surprise par cette nouvelle : elle avait dit à Lisa que ce serait une occasion pour le petit de resserrer les liens avec son oncle qui avait de grandes chances de devenir pour lui une référence masculine, voire paternelle.

Bill n'avait cependant aucune intention de se rapprocher de ce morveux. Pendant tout le temps qu'ils avaient dû attendre le bus à la gare, il avait été obligé d'être à l'affût des moindres faits et gestes de Gavin. Ce dernier voulait une boisson au distributeur, ou bien un sandwich frais, dans la machine d'à côté. Sitôt que Bill eut fini par céder à l'un des nombreux caprices du petit – qui mourait soudain d'envie de goûter des gâteaux à la noix de coco –, Gavin découvrit que, justement, il détestait la noix de coco et voulait boire pour se débarrasser la bouche de cette saveur dégoûtante.

Bill tint bon et acheta une bouteille d'eau, et non pas la boisson gazeuse préférée de Gavin. Il prit garde à ce que le gamin ne boive qu'une ou deux gorgées car il imaginait très bien qu'une trop grande quantité de liquide se métamorphoserait à coup sûr en un besoin urgent de faire pipi à mi-parcours et là, le voyage se transformerait en cauchemar.

Comme il détestait gaspiller, Bill entreprit d'engloutir les gâteaux avant le départ du bus. Il dut reconnaître que l'enfant avait raison : on aurait dit de la noix de coco artificielle utilisée pour les désodorisants, de plus, ils étaient bien trop sucrés et il fut obligé de boire tout le reste de la bouteille d'eau pour faire passer cette mélasse.

En fin de compte, le comportement de Gavin fut admirable tout le trajet durant – hormis sa propension à chanter à voix haute les comptines apprises à l'école – tandis que Bill fut à la torture en raison d'une envie pressante d'aller aux toilettes apparue moins d'une heure après leur départ.

Cela lui permit au moins de focaliser toute son attention sur sa vessie au lieu de supplicier son esprit en échafaudant diverses théories concernant la façon dont sa mère avait pris connaissance de ce qui avait eu lieu sur l'île vingt ans auparavant.

Dès l'arrivée du bus en gare, Bill dévala à l'extérieur en tenant Gavin coincé sous le bras gauche, puis il courut à la recherche des toilettes les plus proches. Quand il les trouva, il put satisfaire ce besoin naturel de plus en plus menaçant et en ressentit un soulagement quasi extatique.

Sentiment qui ne dura pas : lorsqu'il sortit des toilettes, il tomba nez à nez avec sa mère.

— Tu ne pourras donc jamais t'empêcher de te faire remarquer ? vociféra-t-elle. Je suis sûre que les gens te prennent pour un criminel à présent !

Bill ne s'attendait pas à une si violente entrée en matière et il en resta muet de stupéfaction. Avait-elle parlé du livre à quelqu'un ? Avait-elle eu ce réflexe stupide de crier sur les toits que son fils appartenait à un groupe d'amis à l'origine d'un crime sciemment dissimulé voilà plus de deux décennies ?

Devant lui, sa mère minuscule, fine et sèche, probablement permanentée du matin même, lui faisait l'effet d'un ogre terrifiant. Un ogre âgé d'à peine plus de 70 ans.

— S'enfuir d'un bus de cette façon avec un enfant sous le bras, comme un vulgaire paquet ! reprit-elle. On aurait dit un satyre avec sa proie à la sortie des classes !

Quand il comprit que sa mère ne faisait pas allusion au roman, Bill faillit rire de bonheur. Il se contenta de l'embrasser sur la joue en demandant de ses nouvelles, ainsi que celles de son père.

— Lui ? répondit-elle. Il déraille de plus en plus : je crois qu'il ne remet vraiment qui je suis qu'une fois ou deux par semaine… Le plus étrange, c'est qu'il est capable de me bassiner en improvisant une conférence sur le général Grant ou sur Reynold Price pendant plus de deux heures sans hésiter une seule seconde ! Il se souvient de tout ce qu'il a lu ou étudié mais il oublie sa famille et ses souvenirs. Et il lit, encore et encore, toute la sainte journée…

Bill ne répondit rien, et se souvint de l'homme vigoureux de corps et d'esprit qu'avait été son père.

— Moi j'aime lire, déclara Gavin qui trouvait lassante cette conversation dont il n'était pas le centre.

Aussitôt, le visage de Barbara Herrington s'illumina.

— Tu dois être Kevin, s'exclama-t-elle, tout sourire, en se penchant vers l'enfant.

Gavin se mit à rire et Bill corrigea sa mère sur le prénom du petit, puis quittèrent la gare.

Les parents de Bill habitaient dans une résidence luxueuse située dans une région boisée à quelques kilomètres de Rutland. Durant tout le trajet, Mme Herrington soliloqua : elle était intarissable sur l'incompétence totale des aides-soignantes qui se succédaient au chevet de M. Herrington père.

Bill avait été surpris de voir sa mère derrière le volant mais il n'eut pas le temps de lui demander pourquoi le chauffeur ne les conduisait pas comme à l'ordinaire. Elle fit comprendre à son fils que personne n'était au courant de sa visite imprévue chez ses parents et qu'elle ne souhaitait pas donner trop de publicité à la chose.

— Moins les gens seront au courant, mieux ce sera, avait-elle lâché, catégorique.

Toutes les fois que Bill retournait dans le Vermont, c'était en compagnie de Lisa et des filles, et – détail qu'il fallait souligner – il conduisait. Ordinairement, il aimait rendre visite à ses parents avec toute sa petite famille, mais ce jour-là, c'était différent : il venait d'être convoqué en urgence par Madame Mère, se trouvait dans la voiture de cette dernière, seul avec elle – Gavin ne comptait pas –, et elle avait quelque chose à lui reprocher.

En résumé, il était redevenu l'adolescent d'autrefois qu'elle venait chercher à la gare certains week-ends ou au moment des vacances. Il était sous sa coupe et, de retour à la maison, il lui devrait des explications.

— Ça s'est passé comment, l'enterrement de Larry ? demanda-t-elle soudain.

— Maman ! s'exclama Bill en désignant Gavin d'un mouvement de tête.

— Il ne sait même pas de quoi on parle, répondit-elle avec une pointe de mépris.

Bill se retourna et observa Gavin : le gamin, sans doute fatigué par le voyage, était à moitié somnolent.

— Ça s'est passé comme un enterrement, dit-il enfin, tout le monde pleurait…

— Non, coupa-t-elle, pas toi.

— Pas moi quoi ?

— Toi, tu ne pleurais pas.

— Comment le sais-tu ?

— Tu détestais ce type ! Je ne peux pas te le reprocher, d'ailleurs, c'était un toquard !

Bill jeta de nouveau un œil inquiet en direction de l'enfant. Celui-ci regardait le paysage défiler d'un air absent et las.

— Évite de parler de lui comme ça, s'il te plaît : il est mort, quand même…

— De toute façon, ce n'est pas pour parler de ton beau-frère que je t'ai fait venir. On a des choses à se dire, toi et moi. Et de sérieuses !

Ils venaient de pénétrer dans la propriété. Bill ressentit un malaise vague : depuis qu'il avait atteint l'âge adulte, il croyait avoir dit adieu à ce genre de situation humiliante. Pourtant, par un clin d'œil vicieux du destin, il était sur le point de se faire sermonner par sa mère septuagénaire, sans doute plus irritée qu'elle ne l'avait jamais été.

En sortant de la voiture, Gavin recouvra un peu d'énergie et se précipita vers le plan d'eau à la surface duquel flottaient de petits nénuphars jaunes. Il les contemplait, émerveillé.

— Ne va pas tomber dans la flotte ! cria Bill. Olivia me tuerait s'il lui arrivait quoi que ce soit, ajouta-t-il à l'intention de sa mère.

Cette dernière l'ignora, appela Gavin qui obéit sagement et saisit la main que la vieille dame lui tendait. Il entrèrent ensuite dans la maison.

Un parfum doux et sucré parvint jusqu'à eux depuis la cuisine.

— J'ai demandé à Bernard de préparer quelque chose pour le petit, dit Mme Herrington, comme ça, vous pourrez faire un bon goûter avant de rentrer chez vous.

À nouveau, elle offrit un grand sourire au garçonnet qui lui montra en retour ses minuscules quenottes. Ses yeux brillaient de gourmandise.

Mme Herrington abandonna son amabilité quand son regard s'éleva jusqu'à son fils.

— Avant toute chose, allons discuter. Gavin va tenir compagnie à ton père en attendant…

Bill se contenta d'acquiescer. C'était confirmé : il avait à nouveau une douzaine d'années et suivait le mouvement sans mot dire.

Le père de Bill se trouvait dans la bibliothèque. Installé dans son fauteuil roulant, il était plongé dans un livre ; lorsqu'il fut assez près de lui, Bill vit qu'il s'agissait du roman *Le Sens du passé*.

— Bonjour, papa ! cria Bill. Tu relis James ?

Aussitôt après avoir parlé si fort, Bill se demanda pourquoi les gens — y compris lui — avaient cette désagréable tendance à brailler pour s'adresser aux très vieilles personnes qui n'étaient pas toujours sourdes, mais seulement gâteuses. L'idée selon laquelle la démence pouvait être dissipée par une voix de stentor semblait solidement ancrée dans l'inconscient collectif.

Le vieil homme leva le nez de son roman. Il avait l'œil vif et le sourcil accusateur : Bill se souvint que M. Herrington détestait être dérangé pendant sa lecture. D'ailleurs, il détestait être dérangé tout court.

— Papa ? demanda-t-il d'un ton outré.

— Oui, dit Bill, c'est moi, ton fils : William.

Les lèvres de son père s'entrouvrirent sur son dentier et un sourire carnassier apparut sous son épaisse moustache.

— Tu entends ça, Barbara? dit-il sans quitter son fils des yeux. Le monsieur me prend pour un vieux sénile !

Mme Herrington assistait à la scène sans rien dire et Gavin avait l'air d'être fasciné par le vieux nonagénaire coincé dans sa chaise.

— Dégage de là! hurla M. Herrington à Bill. Je ne veux plus te voir !

Bill lança à sa mère un regard en forme d'appel à l'aide ; elle n'y répondit pas. Elle se contenta d'approcher le petit Gavin de son mari afin de le lui présenter.

— Theodore, voici Gavin, dit-elle, c'est le neveu de Bill.

— Enchanté, dit le vieillard en tendant une main parcheminée en direction de l'enfant.

Ce dernier la saisit dans sa petite menotte et la secoua doucement, comme il avait vu les grandes personnes le faire si souvent.

— Elle roule, ta chaise? demanda Gavin.

— Oui, dit M. Herrington, et en plus elle est électronique. Tu veux voir?

Il fit une démonstration à l'enfant.

— Moi aussi j'en aurai une quand je serai grand? fit le gamin, émerveillé.

— Bien sûr, répondit M. Herrington, quand tu seras aussi vieux que moi et que tu seras près de mourir.

— Papa ! intervint Bill.

— Mon papa est mort, dit Gavin en baissant les yeux tristement.

— Vraiment ? dit M. Herrington en adressant un regard désespéré à sa femme.

Celle-ci baissa les paupières gravement en guise de réponse.

— Toutes mes condoléances, mon petit, dit le vieillard d'une voix étranglée par l'émotion.

Il attira Gavin à lui et ils s'étreignirent. Ce spectacle remua quelque chose en Bill et il en ressentit un vif chagrin.

M. Herrington se tourna de nouveau vers sa femme.

— Alexandra, lui dit-il, vous avez prévu des gâteaux pour le petit ?

— Oui, monsieur, répondit-elle.

— Parfait, alors laissez-nous et revenez nous dire quand tout sera prêt. Et, autre chose, Alexandra : essayez de savoir où est encore passée la traînée qui me sert d'épouse.

— Papa ! s'étrangla Bill.

Même s'il ne comprit pas le sens de la phrase du vieillard, Gavin laissa échapper un rire scandalisé en réponse à la détresse de Bill. Mme Herrington, étrangement, demeura stoïque.

— Bien, monsieur, dit-elle simplement.

— Et raccompagnez le docteur, ajouta M. Herrington en désignant Bill d'un coup de menton.

Bill et sa mère abandonnèrent le vieil homme et l'enfant dans la bibliothèque.

— On peut les laisser ensemble ? demanda Bill. Je veux dire, sans surveillance ?

— Ne t'inquiète pas, dit Mme Herrington, il est inoffensif. Épuisant, grossier, tout ce que tu voudras, mais pas dangereux. En plus, il adore les enfants…

— Qui est Alexandra ?

— L'ancienne cuisinière. Ça fait au moins dix ans qu'elle ne travaille plus pour nous : elle volait les restes. C'est incroyable comme ton père change d'une seconde à l'autre. Un coup, il est lucide et l'instant d'après, il a complètement décroché… Ça me rend folle parfois.

Ils arrivèrent dans le petit salon. C'était bizarre pour Bill d'être ici : habituellement, la famille se réunissait dans le grand séjour. Même quand il était enfant, il n'avait pas le souvenir de s'être trouvé dans cette pièce seul avec sa mère. Cette dernière y recevait surtout ses amies – pas plus de deux ou trois à la fois – et elles passaient des après-midi entiers recluses ici à discuter de choses et d'autres ou à dénigrer certaines de leurs connaissances.

Mme Herrington s'installa dans un fauteuil et invita Bill à faire de même. Sur le guéridon placé non loin d'elle, Bill aperçut l'objet du délit. Il ne put s'empêcher de le fixer, ce que sa mère remarqua immédiatement. Elle prit le livre, l'observa et soupira.

— Ça, dit-elle à Bill. Comment peux-tu m'expliquer l'existence de cette abomination ?

Elle montrait le roman de Kirkpatrick en le tenant du bout des doigts, comme s'il était dégoûtant ou vecteur d'un virus très dangereux.

Jamais en plus de vingt ans Bill n'avait songé à la façon dont il serait obligé de répondre à une question concernant les événements de l'île. Ces derniers jours, il s'était dit qu'il s'effondrerait devant la première personne qui le mettrait en accusation et qu'il déballerait tout. Ce serait comme un jet de pus trop longtemps contenu sous la peau.

Il n'avait pas prévu que cette personne serait sa mère et que cela changeait tout. Plutôt que de lui répondre directement, il lui posa une question.

— D'où vient ce bouquin ? demanda-t-il.

— Il était au courrier, répondit-elle en le reposant à sa place. Il y a quatre ou cinq jours, je ne sais plus. J'ai cru que c'était encore une demande de ton père : quand il ne lit pas, il fait des listes de livres qu'il me confie et je les lui achète. Le problème, c'est que je n'ai jamais commandé celui-ci, mais ça, je ne m'en suis rendu compte qu'une fois que Theodore l'a lu… Il était dans un état, grand Dieu… À me faire regretter qu'il ne soit pas complètement sénile.

Elle passa la main sur son front en fermant les yeux. Bill eut de la sympathie pour elle en cet

135

instant : il avait si peu eu l'occasion de la voir fragile – humaine – au cours de sa vie.

— Il m'a insultée, Bill, reprit-elle, il m'a traitée de tous les noms. Des mots que je n'avais jamais entendus dans sa bouche. Au départ, je me suis dit que c'était à cause de sa démence, que ça évoluait mal – le docteur m'a prévenue à ce propos. Mais non, il était très lucide dans sa colère. « Me faire ça ! il a hurlé. Me faire ça et le foutre dans un bouquin après ! » Je n'ai pas tout de suite compris mais comme il agitait ce livre dans tous les sens, j'ai attendu qu'il se calme pour en savoir plus sur ce qui l'avait remué à ce point dans sa lecture. À la fin de la journée, quand il s'est endormi, j'ai pris le roman pour le commencer le soir même. Finalement, j'ai fait une nuit blanche, et ce n'est pas parce que ça m'a plu, Bill, tu peux me croire…

Oui, Bill la croyait : un des seuls points communs entre lui et sa mère était leur aversion pour la littérature populaire.

Elle fit une pause et jeta un regard plein de colère à son fils. Plus elle parlait, moins Bill comprenait.

— Il y a beaucoup de choses dans ce livre qui auraient dû rester secrètes, Bill…

Elle se leva et entreprit de faire les cent pas dans le salon. Elle se dirigea vers un secrétaire et en ouvrit le tiroir principal d'où elle sortit un étui à cigarettes. Pendant qu'elle en allumait une, Bill décida qu'il valait mieux jouer les innocents tant qu'il ne savait pas précisément ce que lui reprochait sa mère.

— Quels secrets, maman ? Qu'est-ce que tu veux dire ?

Elle se retourna vers lui, bouleversée. Une volute de fumée s'éleva devant ses yeux qui trahissaient une certaine détresse.

— Je ne sais pas si tu as lu ce bouquin, dit-elle après un long silence, mais il met en scène des gens bien réels… C'est une histoire idiote et abracadabrante, c'est vrai, mais les personnages sont tellement bien décrits qu'on les reconnaît sans peine : ce sont tes amis et toi, juste après l'obtention de vos diplômes à Princeton. Tu nous avais dit que vous alliez fêter ça sur la côte du New Jersey à l'époque… Certes, il y a bien quelques différences avec la réalité, dans ce bouquin, mais bon. Ton père t'a reconnu, en tout cas ! Et en dépit du vieux yaourt rance qui lui sert de cerveau, il a tout compris !

Elle s'interrompit pour étouffer un sanglot. Bill amorça un mouvement dans sa direction afin de la consoler. Elle se ressaisit alors et lui fit signe de rester assis.

— J'aime ton père, reprit-elle d'une voix cassée, je l'ai toujours aimé. Et je ne sais pas si tu es au courant mais il y a eu une période au cours de laquelle il a eu une liaison avec une jeune femme. C'était pendant que tu étais à Princeton, justement…

Bill tombait des nues : c'était la première fois que sa mère évoquait devant lui sa vie de couple. Fallait-il qu'elle fût bouleversée pour se confier ainsi à lui.

— Un jour, continua-t-elle, je me suis retrouvée ici toute seule pendant qu'il s'était carrément installé chez sa maîtresse. C'était invivable, je n'en pouvais plus. Alors, sur un coup de tête, j'ai pris la voiture pour aller te rendre visite à l'université, parce que j'avais envie de voir mon petit garçon, de le serrer dans mes bras... Mais tu n'étais pas là : c'était un week-end et tu étais parti en virée avec ta petite amie.

— Je ne l'ai jamais su, maman, murmura Bill, empli d'un sentiment de culpabilité grandissant.

— Je sais, je sais... Quand je suis arrivée à ta résidence universitaire, il n'y avait que Neal. Il m'a expliqué pourquoi tu n'étais pas là et c'est alors que je me suis effondrée. Le pauvre garçon ne savait plus quoi faire pour me remonter le moral. Je lui ai tout déballé : ton père, sa maîtresse, ma certitude d'être une mère déplorable. Je l'ai ému, je crois... et il m'a raconté aussi son histoire, les crises de mélancolie qu'il traversait, les gouffres qu'il tutoyait, il disait... Il était très beau, si fragile. Je ne sais plus qui a fait le premier pas mais nous en sommes venus à nous toucher, à nous caresser le visage. Et puis...

Elle eut un geste d'impuissance. Cette femme qui venait de lui ouvrir son cœur, Bill avait l'impression de ne jamais l'avoir rencontrée auparavant, et sa confession le bouleversa.

Chacun évitant le regard de l'autre, la mère et le fils semblaient se recueillir dans un silence ému. Ce fut alors que Bill se souvint, malgré les années qui s'étaient écoulées depuis, de ce que lui avait confié Neal au retour de son escapade ce fameux week-end. Ç'avait été l'un des jours les plus lumineux et les plus tristes de sa vie, de son propre aveu : il avait passé une journée avec une femme extraordinaire qu'il avait comprise, et qui l'avait compris. Hélas, elle était mariée, et visiblement très amoureuse de son époux.

Il n'était pas entré dans les détails. Bill n'avait pas insisté. Cette simple confidence l'avait d'ailleurs surpris car Neal n'était pas du genre à s'épancher sur sa vie sentimentale.

— C'est digne d'un mauvais film plein de clichés, tu ne trouves pas ? demanda soudain Mme Herrington.

Elle lui souriait.

— Pas vraiment, répondit-il, c'est plutôt très représentatif des faiblesses humaines…

— Peut-être, oui, dit-elle en se rasseyant, toujours est-il que je suis rentrée à la maison et que, quelques jours après, ton père est revenu. Quand je lui ai demandé pour quelle raison, il a seulement répondu « Je ne l'aime pas ». Ça m'a suffi et j'ai préféré garder pour moi la passade que je venais d'avoir avec ce garçon… Ton père n'aurait pas compris : il aurait été certain que j'avais prémédité mon coup pour lui rendre la pareille… Et aujourd'hui il sait. Parce que tout est dans le roman.

Elle secoua la tête. Ce n'était pas d'un crime commis par des jeunes gens qu'il s'agissait, juste de l'égarement d'une femme trompée et seule, une vingtaine d'années plus tôt.

— Ton père va avoir 90 ans, dit-elle, il finira par oublier complètement avant de s'éteindre, mais ce qui m'ennuie, c'est que ta femme pourrait lire ce roman et, si ça devait arriver, personne ne peut présager de sa réaction : tu n'y apparais pas sous ton jour le plus avantageux. Ça aussi, ton père l'a relevé… C'est surtout de ça que je voulais te parler.

Elle laissa échapper un petit rire sec.

Bill croyait savoir à quelle partie du livre sa mère faisait allusion, et il s'était fait la même réflexion.

— Tu sais que je n'ai jamais eu d'atomes crochus avec Lisa, reprit Mme Herrington, mais j'ai eu pitié d'elle quand j'ai lu ce bouquin. Et je ne t'ai pas reconnu non plus. Je ne t'aurais pas cru d'une telle duplicité…

Elle avait toujours le regard planté sur lui et ses yeux désormais étaient secs. C'en était fini de l'attendrissement auquel elle s'était abandonnée : elle était redevenue la femme rigide et impitoyable qu'elle n'avait pas cessé d'être durant l'enfance et l'adolescence de Bill. Ce dernier sentait la culpabilité peser sur ses épaules et restait muet face à cette mère à nouveau écrasante et lointaine dont il venait juste d'entrevoir l'humanité pathétique.

— Comment a-t-il eu connaissance de tous ces détails ? demanda-t-elle. Kirkpatrick ?

— Je ne sais pas, c'est ce qui me torture l'esprit depuis des jours…

— Alors tu l'as lu, lâcha-t-elle.

Pris en flagrant délit de dissimulation, il ne sut quoi répondre.

— Et tu n'as pas reconnu mon personnage ?

— Non, dit-il à mi-voix, je ne savais même pas que tu étais venue à l'époque…

— Le « romancier » a pourtant fait un portrait de moi très reconnaissable…

Il se tut à nouveau : il n'avait fait que survoler ce passage, sans aucun doute. Qu'avait-il à faire des amours de Neal avec une femme plus âgée ?

— Ça n'a pas d'importance, reprit Mme Herrington en écrasant son mégot dans un cendrier, ce qui importe, c'est qu'on a envoyé ce livre ici et probablement à d'autres personnes. Il faut juste que tu te demandes pourquoi.

Bill eut envie d'éclater d'un rire amer mais il parvint à se retenir.

— Dans tous les cas, ajouta-t-elle, ça ne sert à rien d'essayer de le contacter : ce type a l'air de vouloir jouer les Salinger, reclus chez lui, quelque part dans l'Oregon…

— Tu… Tu as essayé de le contacter ? demanda Bill, éberlué.

Il ressentit alors une colère étrange contre sa mère, un peu comme si Kirkpatrick ne devait avoir qu'un seul interlocuteur : lui. Il maîtrisa cette brève montée de rage et tenta de faire bonne figure.

— Comment ça s'est passé ? reprit-il. Il t'a envoyée sur les roses ?

— Même pas : j'ai appelé son éditeur pour savoir s'il pouvait nous mettre en relation et il m'a annoncé tout de go que M. Kirkpatrick ne souhaitait répondre à aucune question…

Elle soupira. De son côté, Bill connut un moment d'intense désespoir : son beau projet de faire venir Kirkpatrick à la Henry Cushing Academy s'effondrait en moins de temps qu'il n'en avait fallu pour l'élaborer.

De longues secondes passèrent sans que Bill ni Mme Herrington prononcent un seul mot. Ils s'observaient sans se voir, comme si chacun d'eux n'était pas une personne réelle mais un personnage peint sur un tableau, perdu dans un paysage d'apocalypse d'où il était impossible de s'échapper.

Pendant un instant, il perçut une nouvelle lueur d'inquiétude dans les yeux de sa mère : elle avait une question au bord des lèvres, une interrogation que Bill connaissait avant même qu'elle ne soit formulée.

— Quelque chose ne va pas, maman ?

— Non… c'est que… Dans ce roman, on sous-entend qu'un crime a eu lieu, bien qu'on ne soit sûr de rien, et même si je ne crois pas que…

Elle semblait avoir du mal à mettre de l'ordre dans ses idées.

— William, dit-elle enfin, il ne s'est rien passé de grave là-bas, dans le New Jersey ? Tu n'es pas compromis dans quoi que ce soit ?

Bill n'en était pas à son premier mensonge : il avait longtemps cru qu'il ne pouvait rien dissimuler à ses parents — et à sa mère en particulier. Puis un jour il avait découvert que les arrangements avec la vérité pouvaient être maladroits, invraisemblables, ou honteux, peu importait : il fallait seulement qu'ils correspondent à ce que les gens voulaient entendre.

— Tu peux me faire confiance, maman, dit-il en souriant, toute cette partie du livre, c'est de la pure fiction…

Mme Herrington poussa un soupir de soulagement. Elle jeta ensuite un œil à sa montre et se massa les tempes.

— On va aller chercher le petit et ton père pour le goûter, dit-elle, visiblement très lasse, vous pourrez repartir après.

Lorsqu'ils se retrouvèrent tous dans la salle à manger, Bill eut l'impression d'une réédition de la veillée funèbre de la veille : sa mère ne voulut rien manger et resta tout le temps du goûter taciturne et l'air d'être ailleurs pendant que son père engloutissait furieusement une religieuse en décochant à son fils des coups d'œil chargés de haine. Il avait tenu à garder Gavin près de lui et l'enfant dégustait ses pâtisseries avec délectation.

Malgré tout, Bill remarqua que le gamin le fixait parfois avec un soupçon de crainte dans le regard. Il lui aurait bien demandé ce qui lui arrivait mais il était trop fatigué pour le faire. De plus, s'il s'était risqué à parler à l'enfant, son père lui aurait sûrement aboyé de lui ficher la paix et Bill n'aurait eu d'autre choix que de se taire.

Cette fois-ci, ce fut le chauffeur qui les raccompagna à la gare. Mme Herrington avait prétexté une migraine pour se retirer dans sa chambre. Avant de s'allonger, elle avait tout de même pris le temps d'embrasser son fils et le petit garçon. M. Herrington, quant à lui, avait étreint Gavin avec tendresse et lui avait fait promettre de revenir le voir. L'enfant avait murmuré quelque chose à l'oreille du vieillard qui, pour toute réponse, avait gravement hoché la tête avant de le serrer à nouveau contre lui.

Quand Bill s'était penché pour embrasser son père, ce dernier l'avait ostensiblement ignoré. Mieux valait ne pas insister et Bill décida de repartir sans créer un nouveau scandale.

Une fois dans la voiture, Gavin fit signe de la main au vieux Theodore qui lui répondit jusqu'au moment où ils se perdirent de vue. Bill pensa qu'ils ne se reverraient probablement jamais : son père s'enfoncerait dans la sénilité, mourrait sans garder aucun souvenir de ce minuscule rayon de soleil sur pattes qui avait illuminé une journée de sa vie, et Gavin était sans doute trop petit pour conserver des images nettes de ce qui devait être sa première excursion hors de l'État de New York.

Le retour en car jusqu'à la maison fut silencieux et paisible. Gavin s'endormit sur les genoux de Bill qui pensa au roman de Kirkpatrick tout le trajet durant. Plusieurs jours que sa vie tournait autour de ce livre, qu'on venait à lui pour en parler : Alan, si enthousiaste ; la veuve de Neal, si innocente ; sa mère, rongée par la honte et l'inquiétude. Il pouvait même ajouter son père qui, depuis les brumes de sa démence, avait compris tout ce qui était vrai dans cette histoire.

Puis il repensa à Lisa, à ce qu'en avait dit Mme Herrington : si elle lisait le roman, tout serait limpide pour elle et jamais elle ne pourrait pardonner à Bill. Cela n'arriverait pas, il y veillerait scrupuleusement.

*

La nuit suivant son retour du Vermont, Bill fit un rêve : il était de nouveau dans un bus en partance pour un lieu inconnu. Il était seul cette fois-ci, assis tout au fond du véhicule qui lui semblait démesurément long : il lui aurait fallu plusieurs minutes pour parcourir la distance qui le séparait du chauffeur qu'il distinguait à peine depuis son siège.

Dehors il faisait sombre : c'était une nuit profonde, et menaçante, une de ces nuits dont on doute qu'elles finiront jamais parce que le temps y paraît aboli.

Bill fut soudain en proie à une violente angoisse : il ne savait pas où le bus l'emmenait et malgré tout, il était persuadé de ne pas vouloir y aller, parce que, là-bas, il risquerait sa vie.

Il courut une dizaine de minutes jusqu'au moment où il arriva près du chauffeur. Il l'attrapa par le bras et fut saisi d'horreur : depuis toutes ces heures de route, c'était un mannequin en paille qui conduisait.

Il s'éveilla brutalement avec la sensation d'avoir hurlé tout son saoul, mais ce n'était qu'une illusion. Lisa dormait à ses côtés, aucun bruit ne provenait des chambres de Sally et Darlene.

Tout était calme dans une nuit parfaite.

Durant un bref instant, la conscience toujours en partie engluée dans ce mauvais rêve, Bill crut qu'il n'allait pas pouvoir se rendormir. Il se trompait, car à peine avait-il ressenti cette crainte qu'il sombra à nouveau dans un sommeil obscur et vide de frayeur.

X

Il y avait eu trop de coups de téléphone impromptus en rapport avec le roman de Kirkpatrick, d'après Bill. En quelques jours, on avait envoyé le livre à bon nombre de ses connaissances et il en avait résulté cette série d'appels gênants qui avaient fait germer en lui un malaise latent qui ne le quittait plus de la journée.

Il s'attendait presque à recevoir un nouveau coup de fil concernant cet horrible bouquin quand il s'était précipité pour décrocher au beau milieu de son dîner. Lisa s'étonnait de la célérité avec laquelle Bill, habituellement peu enclin à répondre au téléphone, se jetait désormais sur le combiné la première sonnerie à peine achevée.

Or ce soir-là, il ne fut pas question de Kirkpatrick. On cherchait bien à joindre Bill, mais pour une tout autre raison.

Bill n'avait pas reconnu tout de suite la voix de Teresa Carlucci. Elle qui était d'ordinaire si énergique – si épuisante – semblait éteinte et lasse. Bill avait cru qu'elle voulait à nouveau l'ennuyer à propos de l'anniversaire de Percy Rogers alors qu'il lui avait envoyé un synopsis de discours dans la matinée.

Mais non : Mme Carlucci appelait pour annoncer à Bill que Percy était mort en fin de journée, à quelques semaines de son centenaire et seulement une petite poignée de jours de la fête prévue en son honneur. L'ancien professeur de grec avait montré des signes d'incohérence à la fin de sa sieste quotidienne et hurlé après une certaine Selma que personne ne connaissait : *Selma ! Selma ! Vieille salope ! Arrive ici que je te fasse voir du pays !*

La femme de Percy n'avait rien compris : elle était arrivée dans la chambre de son mari en quatrième vitesse et l'avait vu penché à la fenêtre. Il s'était à peine retourné vers elle pour lui jeter un coup d'œil, mais elle avait remarqué qu'il était très rouge. La pauvre femme n'eut pas le temps de venir à lui qu'il hurlait à nouveau : *Selma ! Nom de Dieu ! Tu crois que je te vois pas ?* Puis il était tombé dans le vide après avoir fait un mouvement un peu trop vif vers l'extérieur, comme s'il avait voulu attraper quelque chose.

Mort sur le coup.

C'était tragique, certes, et comique aussi, il fallait l'admettre. Dans tous les cas, personne n'aurait parié que l'austère professeur de grec ancien connaîtrait une telle fin.

Pendant un bref instant, Bill avait cru pouvoir échapper à ce stupide discours d'anniversaire, mais c'était mal connaître Mme Carlucci : cette dernière avait annoncé à la veuve Rogers que la mémoire de son défunt époux serait honorée par le professeur Herrington. Et d'ajouter que tout le monde attendait avec impatience cet éloge qui, à n'en pas douter, serait un chef-d'œuvre d'émotion.

Encore une veuve, s'était dit Bill. Et il en avait presque eu la nausée.

Quelques jours plus tard, il se retrouva donc dans la bibliothèque de la Henry Cushing Academy où la veillée funèbre avait été organisée, debout à côté d'un portrait de Percy barré d'un crêpe noir. Le vieux débris y figurait dans toute sa solennité d'enseignant d'un autre âge, époque révolue à laquelle Bill, en tant qu'élève, avait appartenu.

Dans un premier temps, Bill n'avait pas fait attention à Mme Carlucci qui l'invitait à prononcer l'éloge du disparu. Il était plongé dans la contemplation de cette photographie en noir et blanc : à quoi pensait Percy le jour où cette photo avait été prise ? Étrangement, il remarqua que le professeur Rogers n'avait pas beaucoup changé physiquement depuis ce cliché qui devait bien remonter à vingt ans : déjà aussi desséché qu'une momie et la peau du crâne parsemée de taches brunes – un lointain souvenir du soleil des îles grecques, destination préférée de Percy tous les étés jusqu'à l'année passée.

Est-ce que Percy avait reçu le livre de Kirkpatrick ? Une semaine auparavant, Bill aurait trouvé cette suggestion ridicule ; désormais, il n'écartait plus aucune hypothèse. Qui sait ? Une fois son discours terminé, la veuve Rogers allait peut-être le saisir par le bras et lui dire, un peu à l'écart de la foule des endeuillés : « Dites-moi, mon garçon… un ou deux jours avant sa mort, Percy a reçu un drôle de bouquin et quand il l'a fini il m'a dit qu'il était sûr que ce crétin de Herrington était derrière tout ça. Qu'est-ce que ça veut dire ? »

Une main posée sur l'épaule de Bill le sortit de sa rêverie. C'était Teresa Carlucci qui lui offrait un regard interrogateur doublé d'un sourire triste. Il prit conscience du fait qu'il souriait lui aussi, et que chacun dans l'assistance le considérait avec une tendresse émue et devait croire qu'il était perdu dans ses souvenirs en compagnie de Percy Rogers. Ils étaient tous à cent lieues de savoir que Bill n'avait jamais tenu son ancien professeur pour autre chose qu'une vieille goule sadique et imbue d'elle-même, et que sa mort lui éviterait au moins de subir ses sarcasmes une fois le discours achevé. Bill se souvint alors des cours qu'il avait suivis sous la houlette du professeur Rogers lorsque celui-ci enseignait à Princeton, avant de retourner à la Henry Cushing Academy pour les dernières années de sa carrière. Ç'avaient été de terribles séances de torture.

— William…, murmura Mme Carlucci.

Pour toute réponse, Bill mit sa main sur celle de la directrice et la pressa amicalement. Cela suffit à la rassurer.

Discrètement, il posa son téléphone sur la table qui se trouvait devant lui : il savait que ce genre de petit discours était d'autant plus apprécié qu'il n'était pas trop long. Son expérience lui avait appris que la durée idéale était de douze minutes : au-delà, les gens jetaient un œil à leur montre avec humeur ; en deçà, ils avaient l'impression d'être floués.

Il s'éclaircit la voix, fit mine d'adresser un regard à plusieurs personnes de l'assistance et il s'attarda surtout sur le beau visage grave de Lisa. Elle avait dû le conduire en voiture et avait accepté de rester pendant toute la cérémonie où les élégies brèves et convenues s'étaient succédé jusqu'alors : c'était désormais l'apothéose de cet hommage funèbre, et il revenait à Bill d'en assumer l'accomplissement. Il toussa une nouvelle fois puis commença. Fidèle à sa réputation, ce serait un discours sans notes.

— Nous nous préparions à fêter Percy dans la joie et l'amour qu'il nous inspirait, mais un hasard cruel a chassé notre bonne humeur pour noyer nos sourires dans les larmes…

Dès que Bill eut prononcé le mot « larmes », des bruits de reniflements se firent entendre dans la grande bibliothèque. Contrairement à ce qu'il pensait, ce n'était pas la veuve de Percy qui pleurait, mais Mme Carlucci – peut-être soulagée que cette foutue soirée appartienne bientôt au passé. Enfin.

— … Sous une apparence sévère et intransigeante, Percy Rogers cachait un cœur d'or au moins aussi inestimable que son incomparable érudition. J'en sais quelque chose : j'ai bénéficié de l'une et de l'autre de ses qualités… De sa sévérité aussi, naturellement !

Quelques rires discrets s'élevèrent et des sourires naquirent sous les regards embués. Bill savait que même dans ces situations – surtout dans ces situations – il ne fallait jamais omettre une pointe d'humour.

— Ainsi que Percy avait coutume de le dire…

Mais une chose l'interrompit et Bill marqua un léger temps d'arrêt : l'écran de son téléphone venait de s'illuminer et il était suffisamment près de lui pour qu'il puisse lire le message qui s'était affiché.

Vous avez apprécié la lecture ?

Et l'auteur du message n'était pas enregistré dans le répertoire de Bill. Numéro inconnu.

Obéissant à un réflexe stupide, Bill leva la tête et balaya rapidement l'assistance du regard. Tout le monde attendait avec curiosité ce que le professeur Rogers avait coutume de dire et aucun membre de ce public choisi n'avait une mine de conspirateur.

Avec moins de conviction dans la voix, Bill s'obligea à poursuivre en pensant le moins possible à ce qu'il venait de lire.

— Percy, donc, disait souvent qu'il adorait enseigner mais qu'il détestait les étudiants. Il en avait eu, au mieux, deux ou trois qu'il jugeait dignes de la moyenne, mais les autres… Non, vraiment, il les méprisait. Moi le premier d'ailleurs : il m'a un jour humilié devant toute la classe en disant qu'un chimpanzé avait sans doute plus de capacités en thème grec que moi. Il était dur, parfois.

Tout ce que Bill disait était exact, même si ce n'était pas là ce qu'il avait tout d'abord envisagé de raconter. L'anecdote qu'il avait prévu de dévoiler était la petite manie de Percy de truffer ses moindres prises de parole de citations. Voilà, c'était ça qu'il voulait dire : « Ainsi que Percy avait coutume de le dire : *Comme le disait Platon...* » et il aurait savouré l'effet de ce trait d'esprit sur l'assistance. Au lieu de ça, il venait d'esquisser le portrait du professeur Rogers en parfait salaud égoïste – ce qui était vrai, mais inconvenant ce soir-là.

Les yeux de Bill se posèrent alors sur la vieille figure fripée de la veuve et il vit là un moyen de rebondir quand son écran de téléphone s'illumina de nouveau.

J'espère que tout le monde a aimé le livre.

Il ravala sa salive et décida d'oublier ce nouveau message. Il était pâle comme la mort désormais, et son regard sauta d'une personne à l'autre parmi les invités jusqu'à celui de Mme Rogers. Il tendit vers elle son unique bras et s'exclama d'une voix bien trop forte :

— Percy n'avait pas que des mauvais côtés : il lui arrivait de savoir aimer. J'en veux pour preuve son long compagnonnage avec celle qui est restée son unique amour depuis près de cinquante ans : Selma, que je vous demande d'applaudir...

Rien ne se produisit, sinon deux ou trois applaudissements mous et circonspects, et Bill comprit immédiatement pourquoi. La femme de Percy se prénommait Nancy et ils n'étaient mariés que depuis une quinzaine d'années – ils avaient officialisé leur union après la mort de la première Mme Rogers et chacun savait que Nancy était la maîtresse de Percy depuis longtemps.

Alors qu'une minute auparavant, tout le monde fixait Bill affectueusement dans un silence religieux, quelques murmures interrogatifs naquirent dans l'assistance quand certains, gênés, firent comme s'ils n'avaient rien entendu. Une personne pouffa avant de quitter les lieux prématurément. Bill mesura alors l'étendue de sa bévue.

— Nancy, rectifia-t-il en se frappant le front du plat de la main, toutes mes excuses, Nancy.

D'un petit geste de la main, la vieille dame lui indiqua que rien de tout ça n'était important.

— Selma était le nom de cette femme qu'il appelait juste avant de mourir, précisa Bill, et je crois que personne ne saura jamais de qui il s'agissait…

Quelques personnes dans l'assistance eurent la bonté de répondre que non, on n'avait toujours pas identifié Selma. Bill fut surpris d'entendre une voix de femme demander sans discrétion s'il était ivre.

« Selma », répéta-t-il en lui-même. Il se serait giflé s'il avait pu.

Quand il repenserait à cette scène ultérieurement, il se demanderait pourquoi il avait ressenti le besoin d'apporter cette précision à son auditoire. Sur sa droite, les bras croisés sur la poitrine, Mme Carlucci le fusillait du regard.

Un troisième message s'afficha.

Quelle chance pour vous : il n'est pas précisé que le roman est tiré d'une histoire vraie.

C'en était trop. Il ne put se retenir de grommeler un juron blasphématoire entre ses dents.

Ce fut à ce moment que Bill comprit qu'il ne pourrait pas aller sereinement au bout de son discours. Il choisit donc de le poursuivre en pilotage automatique et de le conclure le plus rapidement possible plutôt que d'accorder une prolongation douloureuse à ce massacre.

— Percy nous manquera, c'est sûr, cependant il n'aura pas à subir plus longtemps la désaffection des étudiants pour le grec ancien, matière qui disparaît chaque année un peu plus…

Bill fut incapable de retenir ce qu'il ajouta par la suite. Il crut plus d'une fois mourir de honte en voyant l'expression atterrée des membres de l'auditoire. Quand il eut terminé, Lisa essaya de motiver l'assistance en applaudissant son époux à tout rompre et obtint une réaction inespérée de la part du public. Mme Carlucci applaudissait elle aussi, mais comme tous les autres, c'était par pure politesse. Elle ne quitta pas Bill des yeux pendant tout le temps qu'il mit à sortir de la bibliothèque pour aller respirer un peu d'air frais, et il ressentit physiquement la colère que la directrice éprouvait à son encontre.

Il faisait froid dehors, et surtout il faisait sombre. C'était tout ce dont Bill avait besoin : une bonne dose d'obscurité afin de dissimuler au monde son visage torturé et ruisselant de sueur.

Il prit son téléphone afin de voir s'il avait reçu de nouveaux messages. Aucun ne s'était ajouté aux trois précédents.

Pendant un instant, il eut envie de demander à ce mystérieux correspondant qui il était mais il préféra n'en rien faire : une telle réponse trahirait son inquiétude et pourrait sonner comme un aveu de culpabilité.

Bill entendit quelqu'un approcher et se retourna : dans la sombreur du soir automnal, il distingua une silhouette. Ce devait être Lisa.

— Oh, chérie, murmura-t-il, je suis tellement content que tu sois là… Je crois que je suis définitivement grillé auprès de cette vieille chouette de Carlucci après ce fiasco…

Une voix gênée lui répondit.

— Je… Ce n'est pas votre femme, monsieur Herrington, c'est moi, Alan.

Bill fut bouche bée, puis, quand il prit conscience de sa méprise, il eut presque envie d'éclater de rire. Comment avait-il pu confondre Alan avec Lisa ? Elle n'était pas aussi trapue qu'elle, bien au contraire.

— Alan ! s'exclama-t-il enfin. Je suis navré de vous avoir prise pour Lisa, mais dans cette obscurité toutes les méprises sont possibles… Promettez-moi seulement de garder pour vous ma remarque peu flatteuse pour la directrice…

— Ne vous faites pas de bile pour ça, répondit la jeune fille en riant, avec moi, vos secrets ne seront pas trahis…

L'esprit encore prisonnier d'une forme de paranoïa bien compréhensible, Bill apprécia modérément la dernière phrase d'Alan, mais elle reprit la parole si vite qu'il n'eut pas le temps de s'enfoncer un peu plus dans le soupçon.

— Votre femme est avec Mme Carlucci justement : elle essaie de lui faire comprendre que vos antidouleurs peuvent vous faire débloquer par moments… Elle est douée, vous savez : elle a réussi à faire dire à la directrice que tout était sa faute, qu'elle n'aurait jamais dû vous pousser à prononcer ce discours dans votre état. Je lui tire mon chapeau !

— Lisa est une remarquable alliée, répondit Bill en souriant, la meilleure de toutes…

— En tout cas, j'espère que ça ne remet pas en cause la venue de Kirkpatrick à Cushing.

Bill sentit son estomac se contracter : pas une fois depuis sa visite à ses parents il n'avait prévenu Alan du caractère plus qu'improbable de la participation de l'écrivain à une intervention avec les élèves. Lâchement, il avait même refusé d'ouvrir tous les courriels envoyés par l'étudiante ; le seul fait de lire « Préparation de la venue de Kirkpatrick » dans l'objet du message le déprimait.

— Alan, fit-il, quelque peu gêné, je n'ai pas encore eu l'occasion de vous tenir au courant, mais il y a peu de chances pour que M. Kirkpatrick accepte de venir nous voir… J'ai cru comprendre qu'il était assez sauvage et qu'il…

— Assez sauvage ? le coupa Alan. Vous avez lu les mails que je vous ai envoyés ?

Bill ressentit un certain malaise.

— Je n'en ai pas eu le temps, Alan, avec tout ce qui s'est passé cette semaine, la mort du professeur Rogers, quelques soucis familiaux à gérer. J'aurais dû, oui, et je m'en excuse. J'ai été submergé.

Il ne comprit pas comment cela était possible mais, malgré la nuit noire, il devina qu'elle souriait.

— Alan ? demanda-t-il. Sauriez-vous quelque chose que j'ignore ?

— Kirkpatrick va venir, monsieur Herrington.

— Mais je… Comment ça, il va venir ?

— Comme vous n'avez pas répondu à mes premiers messages, j'ai décidé de prendre les devants. Je me doutais bien que vous n'aviez plus forcément la tête à Kirkpatrick avec tous ces événements, alors j'ai essayé de le contacter moi-même via sa maison d'édition…

Bill n'en revenait pas : il allait enfin rencontrer l'étrange scribe de ses turpitudes passées sans avoir eu à se mettre en avant une seule fois.

— Comment avez-vous fait ? reprit-il d'une voix blanche.

— Eh bien, j'ai envoyé un mail avec notre projet à l'éditeur de Kirkpatrick et j'ai attendu une réponse. Elle est venue très vite d'ailleurs, et elle m'a un peu refroidie sur le coup : c'est une secrétaire qui m'a écrit. Elle a dit que ma proposition serait transmise à l'auteur mais que celui-ci refusait en bloc toutes les demandes d'entretien ou autres, désormais. J'ai cru que c'était mort. Pourtant, le lendemain, j'ai reçu un autre mail, et cette fois il était signé de l'éditeur lui-même : il m'annonçait que Kirkpatrick était très enthousiaste à la perspective de travailler avec nous pour une intervention avec les élèves de Cushing. J'étais folle de joie !

Bill resta sans voix. Kirkpatrick avait accepté une seule interview avec une obscure radio locale à la sortie de son livre et avait refusé toutes les propositions depuis lors. Toutes sauf une : celle qui émanait d'une de ses élèves.

— M'avez-vous mentionné lors de vos échanges avec ce monsieur ? demanda-t-il.

— Oui. En fait, j'ai parlé de vous avec Kirkpatrick lui-même puisqu'il a demandé à communiquer avec moi directement.

En d'autres circonstances, Bill aurait trouvé touchante la note d'orgueil naïf qui avait ponctué la dernière réplique d'Alan, mais, en l'occurrence, il était bien trop troublé pour y être sensible.

— Et que pense-t-il de tout ça ? reprit-il. Que pense-t-il de notre idée à tous les deux ?

— Il est très enthousiaste : qu'un prof d'une institution aussi prestigieuse que Cushing ait une telle ouverture d'esprit l'a épaté. Il a vraiment hâte de faire votre connaissance. S'il est aussi disponible et gentil que le laissent croire les messages qu'on s'est envoyés, alors vous devriez vous entendre...

Pendant un instant, Bill oublia le roman et le lot de mystères qu'il traînait avec lui : il était tout entier tourné vers l'engouement d'Alan pour Kirkpatrick. L'étudiante était en pleine correspondance électronique avec un auteur dont le livre l'avait passionnée, un écrivain pour qui les mots n'avaient aucun secret, y compris – et surtout – ceux qui font naître une étincelle dans le cœur des jeunes filles et aussi de quelques jeunes garçons.

Oui, pendant un instant, Bill éprouva une forme de jalousie étrange envers cet inconnu qui lui pourrissait la vie depuis des jours et se permettait en plus de lui voler son statut d'idole. Que pesait un professeur en regard d'un auteur encore jeune et admiré ? Pas grand-chose, assurément. En son for intérieur, Bill espéra que Kirkpatrick était un garçon gros et laid, affligé d'une haleine de chacal. Ainsi aurait-il une chance de garder l'étudiante pour lui.

La crainte d'être écarté du piédestal d'Alan au profit de Kirkpatrick se dissipa aussitôt que Bill entendit la voix de Lisa qui l'appelait depuis le perron de la bibliothèque.

— Je crois que votre femme vous réclame, remarqua la jeune fille.

— Oui, acquiesça Bill, maintenant que cette soirée stupide est passée, je vais pouvoir être tout à vous.

— Oui, et à Kirkpatrick, précisa-t-elle en riant.

Bill ne se força pas à rire de concert avec elle.

Voyant que son professeur n'était pas d'humeur, elle changea de sujet avant de le quitter.

— Et surtout ne vous torturez pas l'esprit avec l'hommage rendu au professeur Rogers. Vous avez fait ce que vous pouviez : notre prof de latin, Mme Openshaw, nous a fait comprendre que c'était un vieux chnoque imbu de lui-même qui aimait surtout torturer les étudiants.

— C'est un portrait rapide mais assez juste, approuva Bill avec un sourire, et, par-delà le royaume des morts, Percy Rogers a tenu à me casser les pieds jusqu'au bout…

— À se demander si les morts sont vraiment morts, dit Alan, songeuse, ils ont parfois le pouvoir de se rappeler à nous de façon surprenante…

— Vous n'imaginez pas à quel point.

Alan annonça qu'il était temps pour elle de rentrer et elle salua Bill en espérant avoir bientôt de ses nouvelles. Il promit de prendre contact avec elle très vite pour finaliser la venue de Kirkpatrick.

— À propos, ajouta-t-elle avant de partir pour de bon, je lui ai donné vos coordonnées au cas où il souhaiterait vous contacter.

— Mes coordonnées ?

— Oui : adresse mail, téléphone portable…

Elle s'interrompit : avant de se séparer, Bill et elle avaient fait quelques pas en direction de la biblio- thèque et ils pouvaient désormais se voir à la lueur orangée des lampes intérieures. Elle remarqua immé- diatement que le visage du professeur s'était crispé.

— Je n'aurais pas dû ? demanda-t-elle avec une nuance d'inquiétude dans la voix.

— Pas du tout ! s'empressa de répondre Bill. Vous avez eu raison. C'est juste que mon bras me fait un peu mal ce soir, ne vous inquiétez pas.

Rassurée, Alan déguerpit en adressant un dernier mot de réconfort à Bill. Elle frôla Lisa en partant et la salua avec déférence.

— Une de tes étudiantes ? demanda Lisa lorsque Bill fut près d'elle.

— Oui, elle arrive juste du Kentucky. D'après son dossier, elle semble brillante. Elle adore Henry James.

— Alors elle a toutes les chances de devenir la chouchoute du professeur Herrington, murmura Lisa en souriant.

Comme elle le connaissait bien…

Ils se dirigeaient tous les deux vers le parking quand Bill s'arrêta net.

— Zut, dit-il, j'ai oublié de présenter mes excuses à Teresa pour ma prestation.

— Et après ? J'ai réussi à la calmer et le vieux dragon pourrait bien se réveiller en ta présence. En plus, je crois bien qu'elle est déjà partie…

— Oui, mais… je préfère lui glisser un mot en vitesse quand même : je me sentirai mieux.

— Comme tu voudras, soupira-t-elle.

Lisa poursuivit sa route en direction du parking pendant que Bill s'engouffrait à nouveau dans les ténèbres des allées extérieures de la bibliothèque.

Il n'avait pas l'intention d'affronter Teresa Carlucci dès ce soir : il avait eu son lot d'émotions fortes pour le moment.

Il sortit son téléphone de sa poche et rechercha les messages anonymes qu'il avait reçus plus tôt dans la soirée. Il sélectionna le numéro inconnu et décida de l'appeler.

Il y eut deux sonneries puis on décrocha sans dire un mot. Cette fois, Bill ne se démonta pas.

— Bonsoir ! s'exclama-t-il. Je viens de voir que vous m'avez envoyé plusieurs messages, mais vous avez fait erreur sur le destinataire, de toute évidence !

Au bout du fil, pas un bruit. À peine le souffle d'une respiration. Et pourtant, Bill sentit une présence tapie dans ce silence hostile. Il en eut la chair de poule.

— Je voulais seulement vous prévenir, poursuivit-il sur le même ton de bienséance enjouée. Bonne soirée, au revoir !

Et il raccrocha.

C'était le contact le plus proche qu'il avait eu depuis le début de cette histoire avec l'auteur de toute cette mascarade et, au fond de lui, il était de plus en plus sûr que cette personne était Kirkpatrick.

Une minute à peine s'écoula avant que son téléphone ne vibre : c'était un nouveau message.

Navré de vous avoir importuné, je pensais m'adresser au professeur William Herrington.

XI

Dans un premier temps, ne plus recevoir de nouvelles de Mme Carlucci troubla Bill. Même si les messages affolés de la directrice avaient le don de le mettre en boule, ils avaient au moins l'avantage de le distraire du cas Kirkpatrick.

Ce dernier avait donc, d'après Alan, les coordonnées de Bill en sa possession et il n'y avait plus qu'à attendre un signe de vie de sa part.

Bill avait donné rendez-vous à Alan le samedi qui suivait le fiasco de l'hommage à Percy Rogers : elle n'avait pas pu se libérer en semaine à cause d'une masse de travail trop importante.

Il n'avait donc pas eu d'autre choix que de prendre son mal en patience et en avait profité pour réfléchir un peu. Y avait-il un moyen de savoir qui se cachait derrière le numéro qui lui avait envoyé les messages ? Il avait effectué une recherche sur internet en pure perte et s'était même décidé à faire appel à sa tante Loretta. Charles, le fils de cette dernière, saurait lui venir en aide. C'était le seul geek de sa famille et il vivait dans le Colorado.

Hélas pour Bill, Loretta n'était pas d'humeur et Charles ne vivait plus avec elle : il s'était « mis dans une merde noire » (*dixit* Loretta) et avait probablement les fédéraux au cul. Et sur ces belles paroles, elle avait raccroché.

Bill comprit qu'il lui faudrait faire une croix sur sa recherche de numéro masqué. Il sourit pour lui-même quand il prit conscience qu'il avait eu une réaction digne des héros de thrillers dont Lisa était friande. Il eut tout de même une pensée attristée pour le cousin Charles : comment sa famille se débrouillait-elle pour se fourrer dans des situations impossibles ?

En tout cas, son interlocuteur anonyme – qu'il hésitait maintenant à désigner clairement comme étant Kirkpatrick – n'avait plus donné signe de vie depuis son dernier message chargé d'ironie.

Depuis que tout cela avait commencé, Bill était parvenu à maîtriser la panique qu'avait fait naître en lui ce retour inattendu de son passé. Que risquait-il ? L'idée d'être poursuivi en justice l'avait effleuré, même si, de toute évidence, on s'orientait vers une sorte de chantage personnel : Kirkpatrick semblait avoir de nombreuses cartes en main pour faire tomber Bill mais il les utilisait, depuis le départ, pour le torturer mentalement plus que pour obtenir de lui quoi que ce soit.

Bill trouvait le temps long : les jours qui devaient le mener à son rendez-vous de samedi avec Alan s'étiraient intolérablement. Et cet ennui mâtiné de tension nerveuse n'était pas bon : il incitait Bill à trop réfléchir et, dans le cas présent, ses réflexions le conduisaient immanquablement à Mary. La figure de la jeune femme ramenait Bill à ce passé qu'il tentait depuis toujours de tenir loin de lui. Évoquer Mary, c'était accepter de ressusciter Sam, Joe et Neal.

Mary.

Comment avait-il pu faire une croix sur elle aussi facilement ? Sans doute parce qu'elle était en couple avec Sam, à l'époque. Un couple étrange, saugrenu. Ce n'était même pas l'alliance des contraires, comme cela peut arriver si souvent : c'était le mariage impossible de l'eau et de l'huile. Malgré ça, le duo avait résisté à tout, jusqu'au bout. Et pourtant, on aurait dit des amoureux d'un autre temps, osant à peine se prendre la main en public. À côté de ça, les baisers échangés entre Bill et Lisa pouvaient paraître quasi pornographiques.

Sam était un peu plus petit que Bill, et très sec. Il avait déjà des cheveux gris à 20 ans, et de beaux yeux verts qui semblaient toujours au bord des larmes. Il avait une énergie incroyable en lui, une sorte de force destructrice qui effrayait parfois les autres membres du groupe. Comment la douce Mary avait-elle pu s'enticher d'un tel paquet de nerfs aussi difficile à cerner ?

Personne n'avait jamais compris ce que Sam faisait à l'université ni comment il y était arrivé – et lui non plus d'ailleurs. Cela dit, il était très appliqué dans ses études : certes, il était besogneux et parvenait à obtenir des résultats suffisants mais cela s'expliquait par le fait qu'il était terrorisé à l'idée de devoir retourner dans le Connecticut pour travailler dans la compagnie d'assurances de son père. Presque au hasard, il avait décidé de se spécialiser dans la politique internationale. Même s'il était un tâcheron, son analyse éblouissait souvent chacun par sa pertinence et sa justesse.

De tout le groupe, Sam était le seul garçon avec lequel Bill avait eu maille à partir. Il avait un tempérament provocateur que son penchant pour l'alcool accentuait en une agressivité querelleuse. Et Bill était la cible favorite de Sam quand ce dernier avait abusé de la bouteille.

Une seule fois, ils en étaient venus aux mains. Sam avait lancé des regards appuyés en direction de Bill toute la soirée. Puis ç'avaient été des piques, des provocations humiliantes et des allusions graveleuses au couple que Bill formait avec Lisa. Sam s'était approché de Bill pour se coller à lui dans une posture faussement amicale, l'enlacer ironiquement et lui cracher dans l'oreille toutes les stupidités qui naissaient dans son esprit embrumé.

Mary, d'ordinaire silencieuse dans ce genre de situation, avait demandé à son petit ami d'être raisonnable, et elle n'avait récolté, pour toute réponse, qu'une invitation à aller se faire foutre.

C'était ça, la goutte d'eau qui avait entraîné la réaction de Bill.

Il avait eu le temps d'assener deux ou trois coups de poing bien sentis à Sam avant que ce dernier n'émerge de son hébétude surprise pour lui rendre la pareille. Une fois la soirée finie, Lisa devait confier à Bill sa perplexité : elle était persuadée que Sam était heureux de cette bagarre. Il avait affiché une expression hilare et mauvaise à plusieurs reprises lors de la lutte.

Les deux jeunes hommes en étaient arrivés à un tel point de haine – au moins pour cette soirée – qu'il aurait été impossible de les séparer pour toute autre personne que Joe.

Il était intervenu sans un mot pendant que Lisa et Mary criaient et que Neal observait la scène d'un air songeur. Joe avait enfermé Sam dans ses bras puissants et l'avait soulevé pour l'emmener à l'écart, là où il pouvait se calmer sans avoir Bill sous les yeux.

Joe, lui, était originaire du Maine. Ses parents comptaient parmi les plus gros exploitants de homards de la région. Sans cesse il remerciait le ciel de lui avoir donné une sœur aînée habitée par une vive passion pour les homards et qui prendrait la tête de l'entreprise familiale de bon cœur. Joe envisageait de se spécialiser dans la mécanique des fluides : tout cela aboutissait à des applications très précises dans la météorologie sans que personne ait jamais vraiment compris de quoi il s'agissait.

Joe était un garçon charmant. Grand et carré, les cheveux blond-roux toujours très courts. Un physique de sportif. D'ailleurs, il pratiquait la lutte. C'était pour ça qu'il avait pu si facilement séparer Bill et Sam. Un jour, Lisa lui avait prêté un roman de John Irving en lui expliquant qu'il était aussi grand lutteur que romancier : une semaine après, il lui rendait le bouquin en disant qu'Irving devait être un des pires lutteurs de tous les temps s'il était aussi mauvais que son livre. Dans les souvenirs de Bill, cette remarque avait été l'occasion de leur unique dispute.

Tout le monde savait que Joe était homo. Il n'en parlait pas ni ne se mêlait aux conversations des autres lorsque celles-ci abordaient le sujet enfiévré de leurs amours. Par respect, aucun d'entre eux n'avait jamais fait montre d'indiscrétion vis-à-vis de lui.

C'était avec Mary que Joe s'entendait le mieux. Elle était la plus jeune de la bande parce qu'elle avait sauté plusieurs classes au collège et au lycée, mais elle n'en était pas moins mûre que les autres, au contraire.

C'était la seule à être originaire du New Jersey où sa famille, de lointaine ascendance italienne, s'était installée au siècle dernier.

Mary s'était spécialisée dans le droit pénal : elle était passionnée de criminologie, de psychologie crimi-nelle, sans vouloir exercer de métier en rapport avec cette branche pour autant. Quand on lui demandait alors ce qu'elle faisait là, elle répondait en général : « Ces gens qui tuent, qui font du mal, que ce soit volontaire ou pas, je veux les comprendre, mais pas courir le risque de les côtoyer toute ma vie. »

Désormais, Bill savait que Neal était mort, mais les autres, qu'étaient-ils devenus ? L'irruption de ce livre dans sa vie le contraignait à se pencher sur ces souvenirs et sur tous ceux qui les peuplaient. Il l'obligeait à renouer des liens volontairement rompus depuis plus de vingt ans avec la ferme intention de tourner le dos à tout ça, cependant le passé semblait doué d'une vie propre et fatale. Impossible d'échapper à son emprise : ce qui a été fait un jour jamais ne pourra être défait. Bill pouvait choisir de l'oublier, de le nier, d'en être obsédé, c'était tout un : cette chose à laquelle il avait participé le dépassait et tous les milliers de kilomètres placés entre lui et les autres acteurs de cette tragédie, tous les siècles possibles accumulés entre cette nuit sur l'île et l'instant présent ne suffiraient pas à modifier quoi que ce soit à ce qui avait été accompli alors.

D'une manière ou d'une autre, ils étaient tous reliés par un fil magique et invisible qui, brusquement, irait s'étrécissant et les réunirait encore une fois, avec ou sans leur accord.

Bill soupira : avoir remis sa mémoire en marche après toutes ces années l'avait épuisé, mais, étrangement, il se sentait bien, apaisé.

Était-ce le souvenir de Mary ? Sans doute, et aussi en raison des bons moments partagés avec tous les autres.

Bill sourit : il pressentait – souhaitait – un coup de téléphone de la part de Mary tout en étant conscient que cet appel ne viendrait jamais. Elle était comme ça, préférant le silence. Elle attendrait qu'on vienne à elle pour parler de ce roman qui semblait avoir été écrit par un observateur muet et bien dissimulé dans le décor de cette île maudite sur laquelle ils avaient tous décidé de fêter l'obtention de leurs diplômes.

Il alluma son ordinateur et pianota le nom de Mary. Ce fut en pure perte : il avait laissé s'écouler trop de temps sans se renseigner sur les carrières des uns et des autres pour les trouver sur internet sans rencontrer de difficultés.

C'est alors qu'il songea à la veuve de Neal : peut-être Peggy Bellingham pourrait-elle le renseigner – à condition que son ami disparu, contrairement à lui, ait daigné garder le contact avec les autres membres du groupe.

Comme il avait pris soin de conserver le numéro de Peggy, il n'eut aucun mal à la joindre. Elle fut ravie de pouvoir l'aider et lui apporta toutes les informations qu'il désirait : Mary ne s'était pas engagée dans la carrière judiciaire, comme elle se l'était promis. Elle avait décidé de se consacrer à l'art, comme Bill s'y était attendu. Mary avait toujours eu du talent pour le dessin et elle offrait souvent des esquisses ou des portraits à ses amis pour les fêtes.

Cela rappela à Bill qu'il ignorait complètement où se trouvaient ceux qu'elle avait réalisés pour lui.

Désormais, Mary vivait avec son époux en Caroline du Nord, au nord-est de l'État. Ils signaient tous les deux des romans graphiques sous un pseudonyme commun : elle dessinait, il écrivait.

Quand il apprit que Mary avait quelqu'un dans sa vie, Bill en fut jaloux et vexé, d'autant plus qu'elle partageait sa passion avec son mari et qu'ils en vivaient. Mary avait réussi là où Bill avait échoué : il n'était jamais allé au bout d'une nouvelle – encore moins d'un roman – sous prétexte que ses études, puis sa sécurité financière, passaient avant. Et finalement, il avait abandonné. Mary, non.

Une fois sa conversation avec Peggy Bellingham terminée, un soupçon traversa l'esprit de Bill : l'homme que Mary avait épousé écrivait avec elle. Se pouvait-il que le roman dont les exemplaires atterrissaient avec une régularité de métronome dans les mains de ses diverses connaissances puisse avoir son origine ici ?

Non, c'était absurde. Jamais elle n'aurait fait une chose pareille. Jamais elle ne l'aurait trahi. De toute façon, Mary ne connaissait qu'une infime partie de l'histoire.

Afin de dissiper le poison de la suspicion, Bill fit une recherche sur le pseudonyme que lui avait fourni Peggy : Edwin Jasper.

Aussitôt, il vit apparaître des photos de l'heureux couple : revoir le visage de Mary après tant d'années lui serra le cœur. Jamais elle n'avait été aussi belle que dans la maturité qu'elle affichait à présent.

Tous les clichés la présentaient aux côtés de cet homme qu'elle avait épousé et dont le vrai nom était Pat Brookland.

D'emblée, Bill ne l'aima pas : il devait avoir une bonne quinzaine d'années de plus que Mary, il était mince et portait les cheveux très courts – toujours bruns malgré l'approche de la soixantaine, si Bill estimait correctement son âge.

Son visage était affûté, voltairien en un sens, et Bill n'aurait su dire si le sourire de Pat était candide ou narquois.

Edwin Jasper avait un certain succès dans le monde de l'édition et auprès des jeunes. Les romans qu'il signait étaient noirs et pleins d'un désir d'absolu dans lequel Bill retrouvait la patte de Mary.

Tous les volumes parus racontaient des histoires qui se déroulaient en Alabama – d'après les recherches de Bill, Pat était originaire de cet État.

Sans savoir pourquoi, il se dit que ce genre de littérature plairait sûrement à Alan.

Il fut aussi surpris quand il découvrit que Pat et Mary avaient été présents à Glens Falls dans un passé proche, pour une séance de dédicaces. Elle était tout près de lui alors et il ne le savait pas, ne pensait même plus à elle depuis longtemps.

Il ferma la fenêtre de recherche et regarda longuement le numéro de téléphone que lui avait donné Peggy quelques minutes plus tôt.

On était au milieu de l'après-midi et il y avait toutes les chances que Mary soit chez elle occupée à son travail – tout comme son mari, d'ailleurs.

Sans plus attendre, il composa le numéro et, contrairement à l'instant où il avait décidé d'appeler la veuve de Neal, son cœur battait à tout rompre. Il allait lui parler, après tout ce temps passé loin d'elle durant lequel il s'était cru condamné à ne plus jamais entendre le son de sa voix.

Les sonneries se succédèrent, têtues et arrogantes. Au moment où, à la fois déçu et soulagé, Bill s'apprêtait à abandonner, quelqu'un décrocha.

— Allô?

C'était une voix d'homme, et, bien que chargée d'espoir, elle trahissait un épuisement intense. C'était sûrement Pat.

— Bonjour, dit Bill après une légère hésitation, je suis bien chez Mary?

— Oui, répondit Pat qui eut du mal à cacher sa déception. Qui la demande?

— En fait, je suis un ancien ami de Mary, répondit Bill en prenant soin de ne pas dévoiler son nom, nous étions ensemble à Princeton et elle…

— Ah! Vous devez être *Bill*…

Le ton avec lequel Pat lui avait coupé la parole, le mépris qui suintait de la façon dont il avait prononcé son prénom, tout cela paralysa Bill.

— C'est drôle, reprit Pat, elle était persuadée que vous finiriez par appeler. Elle avait dit que vous

175

prendriez votre temps mais que ça arriverait tôt ou tard : elle vous connaît bien, vous savez…

— Comment… Pourquoi s'attendait-elle à ce que je l'appelle ?

— À cause du bouquin, pardi ! Celui qui raconte tout.

Bill eut l'impression qu'un fantôme soufflait son haleine glacée dans sa nuque.

Ce type savait tout. Depuis les quelques jours que durait cette histoire, il était la première personne à le lui dire de façon aussi nette.

Préférant éviter de s'attarder sur le sujet avec un homme qui n'était pour lui qu'un parfait inconnu, Bill poursuivit :

— Je… Je voudrais parler à Mary. S'il vous plaît.

Au bout du fil, l'autre eut le plus grand mal à retenir un rire sarcastique.

— Même si je le voulais, je ne pourrais pas vous la passer, Bill : Mary est partie.

— Comment ça, partie ?

— Eh bien, partie partie, quoi. Ce matin, à cause de votre foutu bouquin…

— Ce n'est pas *mon* bouquin.

L'autre poursuivit sans prêter attention à l'intervention de Bill.

— … elle a pleuré quand elle a eu fini de le lire, et elle a dit qu'elle savait que vous alliez appeler parce que vous auriez peur, et qu'elle n'en avait rien à foutre. Ça, elle l'a bien répété une dizaine de fois…

— Jamais Mary ne s'exprimerait ainsi ! protesta Bill.

— Non, c'est vrai, rigola l'autre, mais je vous traduis à ma sauce le fond de sa pensée... Écoutez-moi, Bill : Mary m'a fait promettre de ne pas lire ce foutu bouquin et je vais tenir parole comme je l'ai toujours fait depuis dix-sept ans que nous sommes mariés. Tout ce que je sais, c'est que ça concerne Mary, vous, votre femme et ce pauvre gars du Massachusetts qui est mort il y a deux ou trois ans. Mais si vous avez fait du mal à Mary ou que vous vous apprêtez à lui en faire, fauteuil roulant ou pas, je vous détruirai et je vous conduirai moi-même en enfer, c'est clair ?

— Je... Je n'ai pas l'intention de... de...

— Je me fous de vos intentions : je vous avertis, c'est tout. On ne s'est jamais séparés en dix-sept ans et voilà qu'arrive ce bouquin. Elle a été bouleversée. Je ne l'avais encore jamais vue dans un état pareil. Et comme elle n'a cité que votre nom, vous me permettrez de trouver ça bizarre.

Un long silence s'installa entre eux que Bill se décida finalement à rompre.

— Est-ce qu'elle vous a dit où elle était partie ?

— Non. Et je ne lui ai pas demandé. J'ai confiance en elle. Si elle a besoin de temps et de solitude, alors je respecte sa décision. Et vous feriez mieux d'en faire autant.

Sèchement, Pat raccrocha.

Bill resta un moment avec le combiné collé à l'oreille sans pouvoir ni vouloir bouger.

Mary savait, comme il le redoutait. Et elle était partie.

Bill se dit tout d'abord que Mary était retournée sur la scène de la tragédie. Elle avait voulu revoir l'île, respirer l'air des lieux. Que restait-il de l'odeur de soufre et de sang qui en avait empuanti l'atmosphère plus de vingt ans avant?

Non, c'était absurde : même dans de telles circonstances, Mary ne ferait jamais seule le voyage pour se rendre dans cet endroit dont l'accès devait être interdit au public – tout comme il l'était déjà à l'époque.

Et pourtant...

Bill n'avait-il pas lui-même ressenti ce besoin dès qu'il avait eu le livre en main? L'île exerçait sur lui une attraction presque irrésistible, il pensait à elle jour et nuit, se demandant parfois si elle avait vraiment existé, avec le secret espoir que tout cela n'aurait été qu'un cauchemar.

Néanmoins elle était réelle. Suffisamment éloignée de la côte pour qu'on l'aperçoive avant de l'oublier aussitôt et cependant assez proche pour que les plus téméraires décident de s'y aventurer par bravade.

Mohegan Island.

Un nom qu'il ne prononçait jamais, pas même intérieurement.

Le bruit de la porte d'entrée arracha Bill à ses tristes pensées. Lisa rentrait du travail.

Il remit le téléphone en place et tenta d'accueillir sa femme avec le plus de bonhomie possible.

— Bonsoir, chérie, la journée s'est bien passée ?

Elle hocha rapidement la tête en guise de réponse et offrit à Bill un sourire crispé. Elle fuyait son regard. Il eut du mal à dissimuler son propre trouble : il s'était passé quelque chose et cela avait forcément un lien avec le livre de Kirkpatrick.

— Qu'est-ce qu'il y a, Lisa ? Tu n'as pas l'air dans ton assiette.

Elle prit le temps de ranger son manteau avant de se diriger vers la cuisine où Bill la rejoignit. Elle se servit un grand verre de jus de fruits.

— Lisa ? répéta-t-il. Ça te dérangerait de me répondre ?

Elle hésitait toujours à lui faire face, et s'adossa à l'un des placards. Ses joues étaient roses, comme si elle avait un peu de fièvre, et ses yeux brillaient.

— J'ai eu un coup de téléphone d'Olivia aujourd'hui, dit-elle enfin.

— Oui, et alors ? Elle va bien, j'espère ? Gavin va bien ?

— C'est juste que… Elle est seulement débordée, tu comprends : elle doit encore régler plusieurs choses concernant Larry et elle est au bord de la crise de nerfs. Elle n'y arrive plus et elle a des tas de rendez-vous demain, et le problème c'est qu'elle n'a personne pour garder le petit. Elle n'aime pas trop le traîner partout avec elle…

Bill fut surpris.

— Personne pour le garder ? dit-il. Pourquoi elle ne m'a pas demandé ?

Lisa se mordit la lèvre.

— C'est ce qu'elle avait pensé dans un premier temps, mais…

— Mais quoi? insista Bill qui sentait grandir l'inquiétude en lui.

— Le petit ne veut plus se retrouver seul avec toi, lâcha-t-elle. C'est ça, le problème.

Désormais, elle plantait son regard dans celui de Bill, à l'affût de sa première réaction. Celle-ci fut pour le moins désemparée.

— Comment ça? Il s'ennuie à ce point avec moi? C'est parce que je lui ai refusé un soda l'autre jour?

Lisa laissa échapper un éclat de rire dénué de toute joie.

— Non, dit-elle, ça n'a rien à voir.

— Alors explique-moi au lieu de tourner autour du pot!

L'inquiétude avait laissé place à la colère.

Lisa prit quelques secondes avant de lui répondre. Bill comprenait qu'elle était dépassée par ce qu'elle s'apprêtait à lui dire.

— Gavin dit qu'il ne veut plus être tout seul avec toi parce que tu es un criminel.

À cet instant, Bill crut pouvoir imaginer ce que ressentait un homme quand on lui annonçait qu'il était condamné à mort. Son sang s'était glacé dans ses veines. Il avait l'impression qu'on venait de le déconnecter brutalement de la réalité.

— Un criminel? parvint-il enfin à articuler. Mais qu'est-ce que c'est que cette histoire?

180

Sa surprise et son désarroi étaient tels que Lisa sembla en éprouver une forme de soulagement.

— Je ne sais pas... Il n'a pas été très bavard, d'après Olivia. Tout ce qu'elle m'a dit, c'est qu'il était vraiment effrayé à l'idée de se rester... avec toi.

Bill retourna s'asseoir sur le canapé du salon. Il était atterré.

Lisa vint le rejoindre et s'installa à ses côtés. Elle prit sa main et posa la tête sur son épaule. Ce geste de réconfort lui remonta le moral.

— Le petit n'a rien dit d'autre ? reprit-il. Il n'a pas donné de détails pour expliquer ce qui lui fait si peur chez moi ?

— Non. Olivia n'a pas voulu insister. Il avait l'air tellement effrayé qu'elle a préféré le laisser tranquille.

— Tu crois qu'il aurait pu faire un cauchemar ? Un cauchemar dans lequel je lui aurais fait peur, où j'aurais fait du mal à quelqu'un ?

— Elle y a pensé mais le résultat est le même : il ne veut plus te voir...

Pris de colère, Bill se leva subitement.

— Appelle Olivia ! s'exclama-t-il. Appelle-la tout de suite !

— Mais pourquoi ? demanda Lisa, déroutée.

— Je veux parler au petit : au téléphone et avec sa mère à côté de lui, il aura moins peur de me parler.

— Tu es sûr que c'est raisonnable ?

— Oui. Toujours plus que de laisser pourrir la situation.

Après un bref instant de délibération, Lisa se plia à l'avis de Bill et téléphona à sa belle-sœur. À sa grande surprise, cette dernière accueillit favorablement la proposition de Bill et il put avoir une conversation avec Gavin.

Les deux téléphones étaient sur haut-parleur et Bill prit la parole en premier avec mille précautions.

— Bonsoir, Gavin, dit-il avec beaucoup de douceur, c'est tonton Bill. Tu vas bien ?

Le petit ne répondit pas jusqu'à ce que sa maman l'y encourage.

— Bonsoir, dit-il d'une voix timide.

Bill n'était pas habitué à parler avec ce Gavin-là : l'enfant était toujours exubérant, plein de vie et bavard – insupportable. Mais le petit garçon qu'il avait au téléphone semblait à ce point apeuré et sur la défensive qu'il eut de la peine pour lui.

— Tout va bien, Gavin ? reprit-il.

L'enfant ne répondit pas. Peut-être avait-il seulement haussé les épaules, inconscient du fait que son oncle ne le voyait pas.

— Ta maman a dit à tante Lisa que tu ne voulais pas que je te garde demain ? Tu es fâché contre moi ?

Un temps.

— Non.

— D'accord. Alors qu'est-ce qui se passe ?

— J'ai peur, dit l'enfant après un nouveau silence.

Bill jeta un regard désespéré à sa femme avant de poursuivre :

— Et pourquoi tu as peur, mon grand ?

Il n'y eut pas de réponse.

— Tu peux tout me dire, Gavin, je te promets que je ne me mettrai pas en colère, je veux juste t'aider.

— Tu es un… criminel, dit Gavin.

Entendre un tel mot dans la bouche du petit garçon fut un coup plus rude à encaisser que Bill ne l'avait pensé. De plus, ce n'était pas un terme fréquemment employé par les garçons de l'âge de Gavin : peut-être ne faisait-il que rapporter ce qu'il avait entendu quelque part.

Bill prit sur lui et tenta de ne rien laisser paraître de sa détresse.

— Et pourquoi penses-tu que je suis un criminel, Gavin ?

— C'est Theodore qui me l'a dit.

Bill et Lisa furent stupéfaits, et probablement Olivia l'était-elle aussi.

— Ton père ? murmura Lisa.

Pour toute réponse, Bill secoua la tête, interdit.

— Qu'est-ce que Theodore t'a dit exactement ? reprit-il.

— Il a dit…

L'enfant faisait un gros effort de mémoire et personne ne le brusqua.

— Il a dit que je ne devais pas rester avec toi, jamais. Mais j'étais bien obligé pour rentrer à la maison. Alors il a dit : « Quand tu seras chez toi, ne le revois jamais, c'est un criminel. » Et il a dit que ça voulait dire que tu avais tué des gens. Que c'était écrit dans son livre.

— De quel livre il parle ? demanda Lisa à voix basse.

— Je l'ignore, mentit Bill.

Jusque dans la démence, son père avait gardé une acuité de lecteur qui avait quelque chose d'effrayant alors que Bill, lui, n'avait même pas reconnu le portrait que Kirkpatrick avait tracé de sa mère. Il fut saisi de panique pendant un bref instant, puis une idée de réponse fulgura dans son esprit.

— Je crois que j'ai compris, dit-il à voix basse.

Lisa l'interrogea d'un mouvement de sourcils, mais il leva la main pour l'inciter à patienter avant de revenir vers le petit garçon.

— Gavin, dit-il, tu as bien vu que Theodore est un très vieux monsieur ?

— Oui, répondit l'enfant, hésitant.

— Et tu as vu aussi qu'il ne me reconnaissait pas tout le temps alors que c'est mon papa ? Et il n'a pas reconnu ma maman non plus alors qu'elle vit avec lui depuis très, très longtemps…

— Oui, dit Gavin avec plus de fermeté dans la voix.

— Et tu sais pourquoi il a dit que je suis un criminel ?

— Non.

— Eh bien, c'est parce qu'il m'a confondu avec les gens qui se trouvent dans le livre qu'il était en train de lire.

Gavin se tut quelques secondes : il devait réfléchir intensément.

— Comme quand tante Vera appelle maman « Lucy »? dit-il.

Bill interrogea Lisa du regard.

— Lucy était la sœur de Vera, chuchota-t-elle.

Bill acquiesça et s'adressa de nouveau à Gavin.

— Voilà, mon grand : tu as compris! Tu as toujours peur de moi maintenant?

— Non! s'exclama Gavin avec une spontanéité qui ne laissait aucun doute sur sa sincérité.

— Et tu serais d'accord pour que je te garde demain pendant que ta maman sera absente?

— OK!

Bill entendit Olivia éclater de rire : le soulagement était perceptible, et du côté de Lisa aussi.

On se mit d'accord pour déposer Gavin à la maison le lendemain puis Bill raccrocha.

— Rassurée? demanda-t-il à Lisa.

— Oui, je me sens bien mieux à présent.

Elle était rayonnante.

— Et pour quelles raisons tu te sens mieux?

Son sourire se figea quelque peu.

— Comment ça?

— Je veux juste comprendre pourquoi tu as accordé une telle importance à la phrase d'un gamin de 5 ans.

Elle remarqua qu'il s'était rembruni et la fixait sans relâche. Il était curieux de savoir, en effet, jusqu'à quel point sa femme avait pu être inquiète pour ressentir un tel soulagement : pendant quelques heures, sans en être forcément consciente, elle avait accepté le fait que son mari pouvait être un « criminel ». Et Bill voulait seulement s'assurer que la main de Kirkpatrick n'était pas à l'origine de cette hésitation.

Lisa baissa les yeux.

— Jamais de ma vie je n'ai envisagé que tu puisses avoir fait du mal au petit, finit-elle par dire, mais tu as une attitude tellement… étrange, depuis quelques jours.

— Étrange ? En quel sens ?

— Je ne sais pas trop… C'est depuis que tu as eu ton accident, en fait. Tu sembles tout le temps sur le qui-vive, comme si tu t'attendais à voir quelqu'un se jeter sur toi. Tu te précipites sur le téléphone à la première sonnerie, tu me demandes tous les jours si je n'ai pas rencontré des gens, si on ne m'a pas raconté une histoire particulière… Et pareil avec les filles ! Darlene croit que tu la soupçonnes de fréquenter un garçon en cachette !

— Je m'intéresse simplement à vous ! protesta Bill.

— Non, Bill, c'est faux : tu t'es toujours préoccupé de nous, c'est vrai, mais pas de cette façon. Tu as peur de quelque chose, ça se voit dans ton regard : on a sans arrêt l'impression de te prendre en flagrant délit de je ne sais quelle manigance quand on arrive sans que tu y aies fait attention…

— C'est n'importe quoi !

— Vraiment ? Et comment tu expliques cette escapade soudaine chez tes parents ? Tu t'es précipité là-bas sans raison…

— Papa était malade !

186

— Menteur!

Elle venait de hurler ce mot et cela avait stupéfié Bill. Ils se trouvaient au beau milieu d'une véritable dispute comme ils n'avaient jamais eu l'occasion d'en connaître tout au long de leur mariage.

— Menteur, répéta-t-elle plus calmement.

— Je te demande pardon?

— Gavin a oublié une petite figurine en plastique quand vous êtes allés voir tes parents l'autre jour, et ta mère a appelé pour savoir quelle est l'adresse d'Olivia pour la lui envoyer. Quand j'ai demandé des nouvelles de ton père, elle m'a dit qu'il se portait plutôt bien ces dernières semaines. Moi, bêtement, je lui ai rappelé qu'il a été malade et que c'est pour ça que vous êtes allés le voir, Gavin et toi. Et quand elle s'est embrouillée dans des explications vaseuses pour confirmer qu'effectivement il avait eu une sorte d'attaque, là j'ai compris que vous me preniez pour une idiote, elle et toi.

Il n'y avait rien à dire. Son mensonge était mis en évidence et le nier n'aurait fait qu'envenimer la situation.

— C'est comme ce spectacle pathétique pour la veillée de Rogers, reprit-elle, jamais je ne t'ai vu aussi désarmé en public! Même l'année du bicentenaire de l'Academy tu as tenu à prononcer le discours de commémoration et tu as été brillant alors que tu avais une fièvre de cheval à cause de la grippe. J'ai bien vu que tu n'as plus lâché ton téléphone des yeux dès le moment où tu as perdu pied!

— Lisa, je t'en prie…

— Tu as une liaison.

Ce n'était pas une question, ni même une phrase nuancée de doute. Lisa l'affirmait comme un fait avéré. Bill était consterné.

— Tu es complètement folle…

— Ne me prends pas pour une conne, s'il te plaît !

Elle tremblait. Les bras croisés sur la poitrine, elle entreprit d'arpenter la pièce de long en large sans plus accorder un seul regard à son mari. Il restait assis sur le canapé, réfléchissant vainement à une explication plausible susceptible de mettre un terme à ce début d'incendie. Mais rien ne venait. Partout autour de lui, il ne semblait plus y avoir que le néant et le mensonge.

— Je suis tellement désolé, finit-il par dire.

Elle ne répondit rien.

— Lisa, il faut que tu me croies, je ne te trompe pas, je ne sais pas quoi dire pour te…

— Pour cette nuit, tu dormiras dans la chambre d'ami. Si demain tu n'as pas d'explication valable à me donner, alors j'irai m'installer chez moi pour un temps.

« Chez moi »…

— C'est ici, *chez toi*, corrigea-t-il avec une pointe d'ironie amère.

Elle rougit légèrement.

— Tu as très bien compris ce que je voulais dire : je vais aller quelques jours chez Olivia.

Il savait qu'elle mettrait sa menace à exécution ; il savait aussi que demain, il ne lui dirait rien.

— Et les filles ? demanda-t-il.

Lisa eut un rictus dépité.

— Si tu poses la question, remarqua-t-elle, ça veut dire que tu as déjà pris le parti de te taire…

Il ne releva pas.

— Les filles décideront elles-mêmes de ce qu'elles feront, dit-elle, comme ça elles te poseront des questions sur la raison de mon absence et tu leur apporteras peut-être un début d'explication, à elles.

Elle allait quitter la pièce mais elle ne put s'empêcher d'ajouter quelques mots.

— Tu… Ton attitude de ces derniers temps, ça m'a beaucoup fait réfléchir : tu n'as jamais été totalement franc avec moi. Il y a quelque chose que tu me caches : c'est sombre, c'est ancré profondément en toi et ça me fait peur. Et je suis certaine d'avoir raison.

Elle le regardait fixement. C'était tragique, le besoin de réponse qui émanait d'elle, mais Bill ne répondit rien. Il avait suffi d'un malheureux mot d'enfant pour faire voler en éclats l'illusion d'un mariage soudé et prêt à résister à n'importe quelle épreuve alors que, de toute évidence, une nuée ténébreuse n'avait cessé de graviter autour de leur famille depuis le début en raison de ce mensonge originel. Tout était faute et Lisa en souffrait, comme ce serait le cas des filles dès le lendemain.

Avait-il été à ce point sa propre dupe ? Le simple fait de se poser la question l'effrayait, tout comme l'idée que Lisa et lui ne faisaient que jouer la comédie du bonheur depuis plus de vingt ans.

Ulcérée par le silence de Bill, elle n'ajouta pas un mot et, sans bruit, telle une ombre fugitive, elle se glissa hors de la pièce, monta l'escalier et s'enferma dans leur chambre.

Bill ressentit une immense lassitude, et, une fraction de seconde, il se demanda si le mieux n'était pas de tout dire à Lisa ; il lui avait caché toute cette histoire dans le seul but de préserver leur couple et voilà que celui-ci se délitait en raison du secret et des mensonges qui gravitaient autour du roman de Kirkpatrick.

Par hasard, Sally et Darlene dormaient chacune chez des amies ce soir-là. Bill comprit qu'il lui faudrait faire face à une longue période de solitude. Lisa l'éviterait jusqu'au lendemain matin et dînerait probablement de son côté.

Tout le poids de l'univers pesait sur lui. Bill s'allongea donc et décida de fermer les yeux. S'il priait assez fort, peut-être s'ouvriraient-ils sur un monde débarrassé de tout le poison qui s'insinuait en lui depuis trop longtemps.

XII

Quand il s'était réveillé le lendemain, il n'avait pas bougé du canapé. De violentes courbatures le mettaient au supplice.

Lisa était partie pour le travail et sans doute ne la reverrait-il pas de sitôt.

En milieu de matinée, Olivia avait téléphoné pour avertir Bill qu'elle s'était arrangée pour faire garder Gavin par une voisine pour la journée. Il n'avait répondu à son ton faussement enjoué que par des monosyllabes ennuyés, puis elle avait raccroché en lui souhaitant bon courage.

Bill eut l'impression d'être dans une de ces périodes précédant les divorces au cours desquelles les clans familiaux et amicaux se dessinent avec une rapidité extraordinaire.

En tant qu'épouse du défunt frère de Lisa, Olivia coupait provisoirement les ponts avec Bill. Ce dernier put en déduire qu'il n'y aurait bientôt plus grand monde avec qui il pourrait discuter, étant donné que c'était lui la pièce rapportée et que Lisa avait passé toute sa vie dans l'État de New York. Ne lui restaient que les collègues de travail ; il en eut un haut-le-cœur.

Comme Lisa l'avait pressenti, les filles s'étonnèrent de l'absence de leur mère, et Bill, naturellement, ne leur apporta aucune réponse.

Dans une imitation très convaincante de la colère maternelle, Darlene exigea des explications. Sally se mit à pleurer parce qu'elle ne comprenait pas et, en fin de compte, Darlene décida d'appeler sa mère chez Olivia afin de lui demander si elles pouvaient la rejoindre puisque leur père avait choisi de rester muet comme une carpe.

En moins de vingt-quatre heures, Bill se retrouva donc dans la plus parfaite des solitudes.

Or, il ne pouvait pas être seul.

S'il supportait bien le vide de la maison pendant la journée, ce même vide devenait palpable et source d'angoisse une fois le soir venu. Le silence le tourmentait, l'air se faisait plus froid. Quand il se retrouvait seul, la nuit, dans sa grande maison déserte, il ne reconnaissait plus son environnement. Comme si les murs, les meubles, les plantes, chaque parcelle de lumière ou d'obscurité brillaient différemment selon que la vie circulait ou non en cet endroit.

Une fois, au cours de la dernière année écoulée, Bill s'était trouvé seul. Lisa s'était rendue en urgence chez Olivia qui avait été prise d'une crise de nerfs : Larry était hospitalisé dans un sale état après un gros coup de fatigue et Gavin n'en faisait qu'à sa tête. Comble de malchance, les filles n'étaient pas là non plus : Darlene en voyage scolaire, et Sally à une fête d'anniversaire étalée sur deux journées.

L'unique remède à l'angoisse de Bill avait donc été une vieille bouteille de whisky dénichée dans un placard.

Ayant perdu l'habitude de boire depuis ses jeunes années, il n'avait pas fallu grand-chose pour que l'alcool lui monte à la tête et anesthésie sa détresse.

Il ferait donc de même ce soir-là, même s'il faudrait plus de deux ou trois verres pour le mettre K-O : il avait de vrais problèmes, contrairement à la fois précédente.

Dans la cuisine, le whisky avait disparu mais Bill trouva de la tequila. Cela ferait l'affaire.

*

Le matin suivant, il se réveilla avec une gueule de bois sévère et un souvenir confus de sa dispute avec Lisa. Tout ce dont il était sûr, c'était son départ de la maison. Quand il se remémora la façon dont elle lui avait présenté la chose – *Je rentre chez moi* –, il en eut une crampe douloureuse à l'estomac.

Chez moi... Cette maison où elle avait passé son enfance puis sa jeunesse et qu'elle n'avait jamais réellement quittée.

Cette idée lui donna envie de se ruer sur sa bouteille pour noyer son dégoût dans un verre, mais il renonça : il préféra prendre ses antalgiques, d'autant plus que, dès le soir revenu, il serait obligé de s'assommer à coups de tequila pour tenir l'angoisse en respect, comme il l'aurait fait avec un tigre menaçant échappé de sa cage.

Des quelques jours qui le séparaient de la venue d'Alan – tout ça pour travailler sur le roman du bien-aimé Kirkpatrick ! –, Bill ne conserva presque aucun souvenir précis. Ce fut une semaine morne, grise et informe, durant laquelle il en profita pour revoir quelques bijoux du septième art : *Qu'est-il arrivé à Baby Jane ?*, *L'homme qui tua Liberty Valence*, *Laura*.

Lorsque arriva le vendredi soir, il ressentit le besoin de noyer son chagrin plus encore que sa peur viscérale de la nuit. Jusqu'ici, il avait adoré ce jour de la semaine : c'était la promesse de passer du temps avec Lisa et les filles, tendrement lové avec elles dans l'intimité chaleureuse et égoïste du foyer. Pour la première fois, il serait seul tout le week-end, excepté au moment de la venue d'Alan, le samedi après-midi. Cela le plongea dans un désespoir tel qu'il but sans prendre la peine de manger.

Le lendemain, ce furent les coups de sonnette répétés qui tirèrent Bill d'un sommeil douloureux. Comme les soirs précédents, il s'était endormi sur le canapé du salon et se sentait tout ankylosé. De plus, il n'avait pas pris ses antidouleurs afin de ne pas faire de mélange trop explosif avec ses cocktails somnifères. Il était hors de question que Lisa et les filles pensent qu'il avait envisagé de se suicider si jamais les choses devaient mal tourner : il leur reprochait de l'avoir

abandonné, certes, mais pas au point de les trauma-
tiser pour le restant de leurs jours.

Et puis, tout bêtement, il ne voulait pas mourir.

De nouveau, des coups de sonnette.

Tant bien que mal, Bill se mit debout. Il avait
l'impression que son crâne était rempli de verre pilé
et que chacun de ses gestes se répercutait en ondes
brûlantes dans tout son système nerveux. Et cette
sensation de faim douloureuse au creux de son estomac…

— J'arrive, marmonna-t-il à l'intention de son
visiteur matinal.

Il jeta d'ailleurs un œil à l'horloge du salon et se
demanda s'il avait bien lu : il était près de 14 heures.
Il avait rendez-vous avec Alan ! Cette prise de
conscience le dégrisa quelque peu et il fit un détour
par la cuisine pour rincer sa bouche d'un arrière-goût
immonde de vieille tequila. Il en profita pour s'as-
perger la figure tout en oubliant qu'il avait gardé
ses lunettes toute la nuit. Sa bévue lui arracha un
cri de surprise et le ridicule de la situation fit naître
en lui une colère sourde. Il n'y voyait plus rien et
se cogna la tête dans la porte du placard qu'il avait
laissée ouverte pour d'obscures raisons. Cela ne fit
qu'accroître son irritation.

On sonna encore.

— J'arrive, nom de Dieu ! hurla-t-il.

Il se dirigea vers l'entrée et s'arrêta une seconde
devant le miroir installé dans le couloir. Il ne s'y
attarda pas : son cas était désespéré.

Il ouvrit la porte derrière laquelle Alan, sans doute échaudée par la réaction de Bill, n'avait plus touché à la sonnette.

— Alan! s'exclama-t-il avec le plus d'entrain possible.

Le mouvement de recul involontaire de la jeune fille en dit long sur le caractère insupportable de l'haleine de Bill. Son passage à l'évier de la cuisine avait été impuissant à dissimuler l'odeur de rat crevé qu'il dégageait. Toutefois, ils n'eurent pas le temps de s'étaler sur le sujet : Alan afficha immédiatement une mine catastrophée.

— Vous allez bien, monsieur Herrington? demanda-t-elle.

— Oui, mon petit, répondit-il, ne vous inquiétez pas.

— C'est juste que… J'ai l'impression que je vous ai réveillé.

— Je m'étais assoupi un moment en effet.

Alan le détailla de la tête aux pieds : il n'était pas rasé, avait les cheveux en bataille et la chemise à moitié sortie du pantalon. Plutôt que de subir un interrogatoire en règle, Bill préféra être honnête.

— Ma femme m'a quitté, lâcha-t-il, en début de semaine.

— Ah ben merde alors! s'exclama l'étudiante.

Elle rougit aussitôt de cet écart de langage ; Bill fit comme si de rien n'était.

— Je ne vous le fais pas dire, Alan… Mais entrez donc : je ne voudrais pas que tout le voisinage se repaisse du spectacle…

Ils entrèrent et Bill invita Alan à s'asseoir dans le salon. Avoir respiré la fraîcheur du dehors lui révélait douloureusement l'odeur de renfermé poisseux qui stagnait chez lui. Il était seul depuis à peine une semaine et cet endroit prenait déjà un aspect de tanière.

Il tira les rideaux de la porte-fenêtre ; la lumière se faufila dans la pièce avec la célérité d'un chat qui a longtemps attendu qu'on lui ouvre la porte. Il fit de même à chaque fenêtre qu'il entrouvrit dans l'espoir de débarrasser les lieux de ses effluves écœurants.

Alan s'était installée à la table de la salle à manger ; sans doute le salon en désordre avec le canapé qui faisait office de lit depuis plusieurs nuits était trop marqué par l'intimité de son professeur.

— Si ça ne vous dérange pas, dit Bill, je voudrais manger un morceau avant que nous commencions. Je n'ai rien avalé depuis hier et je dois absolument prendre mes médicaments.

— Pas de problème, dit-elle, un peu gênée.

— Vous avez faim ? ajouta-t-il depuis la cuisine où il venait d'entrer.

— Non, je vous remercie : je viens de déjeuner.

— Comme vous voudrez…

Il ouvrit le réfrigérateur et se mit en quête de quelque chose d'appétissant. Il prit des œufs, du fromage et une boîte d'allumettes de bacon fumé. Il posa le tout sur le bar et éclata d'un rire navré : il lui faudrait ses deux mains pour faire une omelette.

Il retourna à la salle à manger où Alan avait déjà sorti ses affaires parmi lesquelles – ô monstruosité – figurait le roman de Kirkpatrick. Cela manqua de lui couper l'appétit.

— Excusez-moi, Alan, dit-il.

Elle leva la tête et lui adressa un regard interrogateur et disponible. Elle tentait de sourire comme si le pathétique de la situation ne prêtait pas à pleurer ; Bill lui en sut gré.

— J'ai très envie d'une omelette au bacon, commença Bill.

— Excellent choix.

— Oui. Le problème, c'est que…

Il désigna son bras plâtré.

— Oh oui ! dit Alan en se levant. Bien sûr, je vais vous aider !

Cette jeune fille était décidément un rayon de soleil.

Ils allèrent dans la cuisine. Bill s'installa sur une chaise haute pendant qu'Alan prenait ses marques et rassemblait tout ce dont elle avait besoin.

— Si ça ne vous gêne pas, je vais d'abord laver la vaisselle, dit-elle en s'attelant à la tâche.

— Alan, c'est hors de question !

— Je préfère, répondit-elle, et une fois que vous aurez mangé, vous irez prendre une douche pendant que je mettrai un peu d'ordre ici.

Elle se retourna et afficha un sourire gêné.

— Je ne pourrai pas travailler, sinon, ajouta-t-elle, c'est si déprimant tout ce bazar…

Elle sembla regretter d'avoir prononcé la dernière phrase et plongea son regard dans l'évier où elle fit couler l'eau chaude.

Bill ne lui en voulut pas. Il en convenait : l'image de la jeune femme héroïque qui sortait une vieille épave puant l'alcool de l'enfer des corvées ménagères avait quelque chose d'éculé, mais pourquoi rejeter une aide si gentiment offerte ?

Une fois le repas englouti, Bill s'offrit un brin de toilette qui n'avait rien d'un luxe et quand il retrouva Alan installée dans la salle à manger, il eut d'abord la sensation d'être un homme neuf – un autre lui-même. Hélas, il savait qu'il s'enliserait bien vite dans de nouveaux mensonges.

Il remarqua que le séjour était plus propre lui aussi.

— J'ai honte, Alan. Il ne fallait pas faire le ménage…

— Je vous en prie : jamais je n'aurais pu travailler dans un tel environnement.

Bill rougit sans répondre et la jeune fille prit conscience de sa maladresse.

— Désolée, dit-elle, ce n'est pas ce que je voulais dire…

— Ne soyez pas gênée, dit-il avec bonne humeur, vous avez raison, en plus : je me laisse aller ces derniers temps et c'est une très mauvaise chose.

Il considéra l'exemplaire du roman posé sur la table. Fichu bouquin…

— Eh bien, mettons-nous au travail ! finit-il par dire à contrecœur.

Alan hésita avant de répondre.

— J'aimerais d'abord que vous m'expliquiez ce qui ne va pas.

Bill ne fut qu'à moitié surpris par cette question.

— Eh bien, Alan, j'aurais été très heureux de vous en dire plus, vraiment, mais je ne crois pas que cela siérait à une relation entre un professeur et son étudiante.

Alan éclata de rire.

— J'ai du mal à saisir l'essence comique de la situation, dit Bill dans un demi-sourire.

— Il faut m'excuser, c'est juste que je me suis dit que notre relation est tout sauf celle d'un prof et d'une étudiante. On a parlé bouquins, je vous ai conduit à l'hôpital, on a mangé des pâtisseries, j'ai fait le ménage chez vous et on a fait plein d'autres choses en peu de temps mais je n'ai jamais assisté à un seul de vos cours... C'est pour ça que je rigolais.

Maintenant qu'il y pensait, Bill aussi trouvait sa phrase sur leur relation des plus cocasses. Pourtant cela ne changeait rien : il ne pouvait pas dévoiler à Alan les raisons qui avaient poussé Lisa à quitter le domicile conjugal. Si seulement Neal avait encore été en vie, Bill aurait pu trouver chez lui une oreille attentive puisque, après tout, il était la seule personne au monde à partager son secret dans les moindres détails.

Il poussa un grand soupir de lassitude et s'installa en face d'Alan. Pendant quelques instants, il l'observa comme si elle n'était pas réelle, à la façon d'un

portrait ou d'un buste en marbre. Ce regard péné-
trant indisposa la jeune fille.

— Quelque chose ne va pas, monsieur Herrington?

— Non, Alan, tout va bien : je me disais juste
que vous me rappeliez une amie que j'ai perdue de
vue il y a bien longtemps…

Ce n'était qu'aujourd'hui qu'il prenait conscience
de la ressemblance frappante de la jeune femme avec
Mary.

— Comment s'appelle votre maman? demanda-t-il.

— Elle s'appelait Susanna, répondit Alan en se
figeant quelque peu.

— Oh, je suis navré, dit Bill, je ne voulais pas
raviver des souvenirs douloureux : c'était pure curiosité de ma part.

— Ce n'est pas grave. Papa et maman sont morts
dans un accident de voiture il y a un an et demi. Peu
après mes 18 ans. Je suis entrée toute seule dans l'âge
adulte, en quelque sorte.

— Votre parcours n'en est que plus remarquable.

— Merci.

Bill ne sut pas quoi dire ; Alan faisait semblant de
consulter ses notes.

— J'ai menti à Lisa, dit-il soudainement. Ma
femme. J'ai menti et je n'ai pas pu lui expliquer
pourquoi.

Alan se redressa, intriguée.

— Et pourquoi vous n'avez pas pu lui expliquer?
demanda-t-elle.

— Parce que tout ça est en rapport avec un vieux secret, et que ce secret en contient un autre, qui en contient un autre… comme des poupées gigognes.

— Et vous ne pouvez rien dire du tout ?

— Non, parce qu'elle serait blessée de toute manière. Et je veux éviter ça.

— Désolée d'être aussi franche, mais j'ai l'impression qu'elle est déjà blessée, là.

— Non, elle ne l'est pas : elle a peur de l'être, ce n'est pas la même chose. Dans la peur d'avoir mal, il y a toujours l'espoir qu'on évitera peut-être de souffrir. Elle est partie avec l'espoir de s'être trompée sur mon compte…

— Et ce n'est pas le cas.

— Je sais, et au risque de vous choquer, je compte tout faire pour trouver un moyen de la préserver malgré tout et de la faire revenir. Même si je dois encore lui mentir ou lui dissimuler d'autres choses.

Alan s'apprêta à répondre mais elle préféra visiblement se retenir.

— Vous alliez répliquer que ce n'est pas une bonne façon de faire, je parie, dit Bill à voix basse.

Elle hocha la tête.

— Je sais que ça va vous sembler un peu facile, reprit-il, mais je ne crois pas que la vie soit plus agréable si on exige la vérité partout, tout le temps. C'est un concept un peu intégriste, la vérité, si on y pense bien. En plus, ça n'aide pas forcément les gens à se sentir mieux. Et vous savez quoi ? Je crois que je serais plus à l'aise avec ma conscience si je disais toute la vérité à ma femme et mes filles, mais elles, elles seraient détruites. Alors je ne crois pas vraiment que le jeu en vaille la chandelle…

Alan n'avait regardé Bill qu'à la dérobée depuis le début de la conversation et elle le fixait désormais avec intensité. Elle ne le voyait plus sous le même angle, il le sentait. Même si la jeune fille n'en était pas consciente, son professeur était devenu plus réel, et s'était mis à exister différemment depuis cette forme de confession qui prenait pourtant soin de garder presque tous les faits dans l'ombre. Seuls les sentiments de Bill avaient été dévoilés.

— Je ne vous déçois pas trop? demanda-t-il.

— Pas du tout, répondit-elle sans hésiter, je vous trouve plus humain à présent.

Bill pensa qu'elle était en fait très consciente de la nature de l'imperceptible changement qui avait eu lieu entre eux depuis quelques minutes.

— C'est drôle, ajouta-t-elle, on est très loin de l'histoire du roman de Kirkpatrick, et pourtant c'est une des problématiques majeures qui le traversent. La culpabilité, la vérité, le mensonge à soi-même et aux autres…

— Alors peut-être que Kirkpatrick est un meilleur écrivain que je n'ai pu le croire.

Alan sourit.

— Vous savez qu'il veut venir ici pour quelque temps? dit-elle.

— Ah bon? demanda Bill, soudain très intéressé. Et pourquoi donc?

— Il m'a fait comprendre qu'il avait beaucoup de temps libre devant lui, désormais. Il n'a plus de métier et a décidé de se consacrer entièrement à l'écriture. En plus, il n'est jamais allé dans l'État de New York. Il dit que ça pourrait être l'occasion d'être disponible pour les étudiants, un peu comme s'il était ici en résidence d'écrivain : il a un deuxième roman en cours déjà bien avancé et il pourrait en poursuivre l'écriture ici…

— C'est très bien, tout ça, mais où va-t-il loger ? Henry Cushing pouvait prendre en charge les frais pour un déplacement de courte de durée. Teresa n'acceptera jamais de débourser plus que prévu. Surtout après l'hommage à Percy…

— Il m'a dit qu'il se chargeait de tout et que l'école n'aurait rien à dépenser, le rassura Alan, et j'ai cru deviner qu'il venait d'une famille plutôt aisée. Ça ne devrait pas lui poser trop de problèmes.

Une semaine plus tôt, Bill aurait trouvé toute sorte de motifs peu avouables derrière cette décision de Kirkpatrick. En tout premier lieu, il aurait imaginé que cette venue avait pour principal objectif de se rapprocher de lui afin de lui pourrir la vie au maximum, mais les déboires éthyliques des jours précédents avaient quelque peu émoussé sa paranoïa. Il était comme anesthésié, dans un état presque dépressif qui l'avait mené vers un fatalisme passif.

— Quand aura-t-on l'honneur de recevoir sa visite ? demanda-t-il finalement.

— La semaine prochaine, je crois : c'est de ça que je voulais vous parler.

La semaine prochaine.

Ce fut comme une gifle qui sortit Bill de sa torpeur.

Il était impossible, cette fois-ci, qu'il s'agisse d'une coïncidence : moins de trois semaines après l'envoi du premier exemplaire, Kirkpatrick débarquerait en ville en provenance directe de son État de l'Oregon. Il traverserait tout le pays seulement pour entrer en contact avec un groupe d'élèves de prépa ? Pour s'imprégner de l'incomparable beauté des lieux dans le but d'écrire et de se préparer à une rencontre qui durerait, en tout et pour tout, deux à trois heures et ne se tiendrait pas avant plusieurs semaines au minimum ?

Tout allait trop vite pour que les choses soient réellement fortuites. Bill était convaincu que toute cette précipitation accréditait la thèse d'une machination orchestrée par Kirkpatrick.

— Comment avez-vous communiqué avec lui jusqu'à présent ? demanda-t-il.

— Uniquement par mails, c'est encore ce qu'il y a de plus pratique.

— Jamais un coup de fil ? Une conversation par Skype ?

— Non, rien de tout ça… Pourquoi ces questions ?

— Pour rien, dit-il en souriant. Enfin… Il y a tant de mystère chez cet homme ! Aucune photo, aucune interview… On peut même se demander si la biographie qui figure au dos de son bouquin n'est pas qu'un tissu d'inventions…

Comme souvent, les idées de Bill se formaient plus nettement à mesure qu'il réfléchissait à voix haute. La pensée prenait naissance dans sa bouche, à son insu, et tout ce qui lui avait paru mystérieux jusqu'alors apparaissait désormais dans une clarté cristalline.

Kirkpatrick n'existait pas. Il n'était pas un jeune trentenaire terré dans le Nord-Ouest à l'abri des regards. Kirkpatrick était forcément une de ses connaissances et c'était la raison pour laquelle il pouvait le persécuter aussi bien. Cet écrivain de l'ombre s'apprêtait à faire à Bill la surprise de sa vie en débarquant dans sa ville la semaine prochaine : ils se reconnaîtraient l'un l'autre et Bill comprendrait.

Par une étrange alchimie telle qu'il s'en produit parfois dans une conversation, ce fut au moment même où l'hypothèse se concrétisa dans l'esprit de Bill qu'Alan la verbalisa à sa place.

— En fait, poursuivit-elle, on pourrait même se demander s'il existe vraiment, ce type…

Elle avait dit cela d'un ton songeur, presque déçue, déjà, d'envisager que l'écrivain dont elle avait intérieurement brossé un portrait flatteur – et peut-être amoureux – pût être le fruit d'un canular.

— J'ai l'impression que ça vous chagrine ? s'amusa Bill.

— Un peu, oui, ce serait dommage je trouve.

— Pourtant, ça n'ôterait rien au livre…

— Je sais, mais… J'aurais l'impression d'avoir été flouée, qu'on aurait triché avec moi. À moins que…

Elle se figea, stupéfaite.

— Ne me dites pas que c'est vous ! s'exclama-t-elle.

Bill ne comprit pas et se contenta de froncer les sourcils.

— C'est vous qui avez écrit ce bouquin ! s'écria-t-elle.

Cette fois-ci, ce fut le tour de Bill de rire franchement.

— Alan, dit-il, vous avez une imagination débordante !

Elle ne semblait pas totalement convaincue et Bill se sentit obligé de lui répondre très clairement.

— Croyez-moi, je n'ai pas écrit ce roman. Je n'en ai jamais écrit un seul, d'ailleurs.

Alan fut sensible à la note d'amertume qui sourdait dans sa dernière remarque et cela suffit à la détromper : Bill n'était pas son écrivain mystère. Elle était sur le point de reprendre la parole quand le téléphone sonna.

Par réflexe, Bill se précipita pour décrocher. Pendant un temps très court, il avait oublié que personne d'autre que lui ne répondrait au téléphone dans cette maison. Une fois le combiné en main, il eut même l'espoir que c'était Lisa qui l'appelait pour sceller leur réconciliation.

— Allô ? dit-il en retenant son souffle.

— Bonjour, je suis bien chez le professeur William Herrington ?

C'était une voix d'homme. Le timbre paraissait encore jeune mais l'alcool et le tabac en avaient légèrement accentué la gravité.

Bill ne comprit pas immédiatement pourquoi cette voix l'avait à ce point troublé : il ne devait prendre conscience que bien plus tard qu'elle ressemblait à celle de Neal dans ses inflexions.

— C'est bien moi, répondit Bill, désarçonné.

— J'espère que je ne vous dérange pas, reprit le jeune homme, j'ai eu votre numéro de téléphone par le biais d'une de vos élèves. Je me présente : Richard Kirkpatrick.

XIII

Au grand dam de Bill, Richard Philip Kirkpatrick semblait être un jeune homme charmant. Nulle trace de machiavélisme dans ses propos, aucune remarque ambiguë en ce qui concernait Bill pendant tout le temps que dura leur conversation.

Il n'était rien qu'un jeune écrivain débutant, timide et poli, qui s'excusait presque d'avoir éveillé l'intérêt de lecteurs aussi prestigieux que les enseignants de la Henry Cushing Academy ainsi que leurs étudiants. Son embarras avait quelque chose de si attendrissant que Bill n'eut pas la cruauté de lui dire qu'il intéressait surtout une élève et que le seul professeur enclin à se pencher sur son cas était curieux de lui pour des motifs assez éloignés de la littérature.

Ignorant que Bill était déjà au courant de sa prochaine venue, Kirkpatrick la lui annonça en prenant soin de livrer en détail toutes les raisons de cette visite que le professeur devait sans doute trouver surprenante.

Le pauvre Kirkpatrick venait tout juste de divorcer : sa femme avait décidé de le quitter pour diverses raisons qu'il ne préférait pas évoquer au téléphone, mais ce départ coïncidait avec sa démission de l'université d'Oregon dans laquelle il enseignait depuis quelques années – il allait fêter ses 32 ans. Le départ de son épouse avait donc été un coup doublement rude pour lui puisqu'il s'était retrouvé seul dans sa grande maison où il passait toute la sainte journée à écrire, sans personne à qui pouvoir lire les extraits de son nouveau roman le soir venu.

En ce sens, l'invitation de l'Academy était une bénédiction pour lui. Il avait donc enfreint la règle d'or qu'il avait voulu suivre depuis quelques mois : pas de contact avec le public, qu'il s'agisse de lecteurs ou de journalistes – règle édictée après l'expérience avec la radio de l'Oregon qui l'avait laissé perplexe. Cette opportunité offerte par Henry Cushing l'avait amené à penser qu'après tout, être un écrivain discret ne voulait pas forcément dire qu'il devait se transformer en Salinger ou en Thomas Pynchon.

Avant de raccrocher, il précisa qu'il arriverait le mercredi suivant : son avion devait atterrir à Albany et un taxi l'amènerait jusqu'en ville où il comptait bien retrouver Bill.

Cette conversation eut plus d'effet sur ce dernier que tous les verres de tequila ingurgités les jours précédents. Alors qu'il commençait à entrevoir une explication logique à l'aura de mystère qui entourait ce foutu roman, Kirkpatrick lui-même faisait son apparition pour mettre à bas toute sa théorie.

Certes, il n'en demeurait pas moins qu'il soupçonnait toujours l'écrivain de lui en vouloir personnellement, mais comment expliquer de manière rationnelle qu'un homme aussi jeune lui en veuille pour des faits vieux de plus de vingt ans?

Il s'enfonçait à nouveau dans une morosité inquiète, tandis qu'Alan se réjouissait de son côté. Elle était euphorique à l'idée de rencontrer bientôt cet écrivain dont elle ignorait tout un mois plus tôt. Et cela, elle le devait à M. Herrington. Le bonheur pétillait dans ses yeux, mais Bill ne se sentit pas obligé de sauter de joie avec elle.

La fin de l'après-midi arriva sans qu'Alan eût cessé de soliloquer à propos de sa nouvelle idole et Bill commença à trouver cela ennuyeux. Il arrive un moment où l'enthousiasme d'autrui ne nous paraît plus tellement sympathique quand on est dans l'impossibilité de le partager.

Lorsqu'elle fut calmée et que le silence eut de nouveau envahi le séjour, elle remarqua la mélancolie qui s'était emparée de Bill. Il pensait à Kirkpatrick et, surtout, au jour qui pâlissait déjà, se parant des habits du soir menaçant et muet.

— Vous m'inquiétez, dit-elle en posant la main sur celle de Bill.

Ce dernier sursauta comme s'il avait reçu une décharge électrique et regarda la jeune femme.

— Ce n'est rien, dit-il, j'ai juste peur d'être seul. La nuit, le silence, tout ça… je ne m'y suis jamais habitué.

Il lui offrit un pauvre sourire désabusé.

— C'est hilarant, non? ajouta-t-il. Un homme comme moi qui ne peut pas passer une nuit tout seul…

Alan, de toute évidence, ne trouvait pas ça drôle.

— Je peux dormir ici, si vous voulez, proposa-t-elle.

Le feu monta instantanément aux joues de Bill.

— Vous n'y pensez pas, dit-il à mi-voix, je suis votre professeur, je le répète.

— Je sais, mais je me rends tout de même compte que vous êtes en situation de détresse et que si je vous laisse seul vous allez encore dîner en tête à tête avec Lady Tequila. Je me trompe?

Il baissa les yeux.

— Vous avez une chambre d'ami? demanda-t-elle. Ou je dors sur le canapé?

Ce n'était donc plus une proposition : Bill était placé devant le fait accompli.

— Il y a une chambre à l'étage, répondit-il d'un air las mais soulagé.

— Parfait! Alors je vais faire un saut chez moi pour chercher des affaires et je reviens. Je n'en aurai pas pour longtemps.

Elle prit son blouson et ses clés de voiture puis se dirigea vers l'entrée.

Alan la bienfaitrice.

Bill savait à quel point il jouait un jeu dangereux : il n'était pas assez naïf pour ne pas s'être aperçu qu'il plaisait à Alan. Elle était passionnée de littérature et lui, le professeur érudit, était encore séduisant malgré ses kilos en trop. De plus, comment ne pouvait-elle pas voir en lui une figure paternelle, après avoir perdu ses deux parents en pleine jeunesse. Il fallait avouer que Bill non plus n'était pas insensible à son charme : il l'avait compris quand il s'était rendu compte de sa ressemblance avec Mary. Évidemment elle était jeune, cela étant, elle faisait preuve d'une maturité extraordinaire.

C'était la première fois qu'il formulait si nettement ses sentiments pour Alan et qu'il se souvenait si bien de ceux qu'il avait éprouvés pour Mary. Cela lui fit honte à cause de Lisa. Il prenait conscience qu'elle lui manquait surtout au sens où il ne supportait pas l'idée d'être seul. Est-ce que la crise qu'ils traversaient tous les deux n'était pas révélatrice d'une érosion au sein de leur couple ? Après tout, de moins en moins de gens arrivaient à faire durer leur mariage aussi longtemps…

Bill secoua la tête comme pour en chasser de telles pensées. Envisageait-il réellement de pouvoir quitter Lisa ? Après toutes les belles paroles qu'il avait servies à Alan en début d'après-midi ? À moins qu'il n'ait menti à ce moment-là aussi, et qu'il n'ait jamais voulu protéger qu'une seule chose : l'image positive que William Herrington avait mis des années à construire, celle d'un professeur excellent mais humble, bon père et bon mari. C'était beau comme une épitaphe – et sans doute était-ce faux.

Voilà ce que Bill ne supportait pas.

XIV

Jusqu'au mercredi suivant qui marquerait l'arrivée de Kirkpatrick, Bill eut l'impression d'avoir fait un grand bond dans le passé : il vivait avec Alan comme s'ils étaient deux étudiants colocataires. Elle était sérieuse et se levait chaque jour pour assister à ses cours pendant que lui ressemblait à l'un de ces érudits oisifs qui s'inscrivent à l'université en prenant soin de n'y jamais mettre les pieds.

Elle ne rentrait pas déjeuner à midi, et Bill se surprit à trouver les quelques journées qui le séparaient de la première confrontation avec son ennemi invisible incroyablement longues.

Chaque fin d'après-midi, il téléphonait chez Olivia pour prendre des nouvelles des filles. Darlene paraissait regretter d'avoir quitté la maison : son univers devait lui manquer, sa chambre avec son intimité, ses points de repère. Peut-être même Bill lui manquait-il aussi ? C'était du moins ce qu'il espérait. Sur ce point, la petite Sally s'embarrassait moins que sa sœur pour faire comprendre à son père qu'elle se languissait de lui.

Chaque fois qu'il avait fini de parler avec ses filles, Bill leur demandait de lui passer Olivia. Après s'être enquis de son moral et de sa santé, ainsi que de la bonne forme de Gavin, il demandait comment allait Lisa. Toujours Olivia restait vague sur ce sujet. Et toujours elle promettait de lui dire que Bill aurait voulu discuter avec elle, même si Lisa n'appelait jamais son mari quand elle rentrait du travail le soir.

Elle lui manquait. Sa vie d'avant lui manquait, avec tous ces rituels quotidiens et fades qui nous donnent l'illusion que notre existence durera éternellement. L'image de William Herrington et de sa famille unie lui manquait dans ce quartier où il y avait eu maints déménagements, trois divorces et une séparation provisoire qui s'éternisait dans le temps.

À cause du livre de Kirkpatrick, Bill était sorti de sa monotonie chérie, et il le haïssait pour cette raison.

C'était pourquoi il l'attendait avec des airs de boxeur prêt à en découdre à la gare routière où le taxi de l'écrivain était censé arriver vers 15 heures.

Il pleuvait, et l'humidité glaciale et vicieuse de l'eau s'insinuait jusque dans les os de Bill, donnant naissance à une douleur lancinante dans son bras blessé.

Il était 16 h 30 et toujours pas de Kirkpatrick. Pendant un instant, Bill crut que l'écrivain s'était moqué de lui et la hargne qu'il éprouvait à son égard s'en trouva décuplée. En plus, c'était Teresa Carlucci

216

qui avait déposé Bill en voiture : elle semblait ne plus lui tenir rigueur de la catastrophe de l'autre soir et avait retrouvé toute sa bonhomie anxieuse quand elle s'adressait à lui. Hélas, Teresa avait une réunion de la plus haute importance en fin d'après-midi à l'Academy et elle avait dû se résoudre à abandonner Bill dans cette sinistre gare routière.

Peu importait : Bill avait un parapluie, pas de bagages et un bras dans le plâtre. Ils rentreraient à pied et Kirkpatrick se débrouillerait avec ses valises et l'averse diluvienne qui s'abattait sur la ville.

Il avait mille questions à lui poser sur son roman : où avait-il trouvé l'inspiration ? Depuis quand avait-il prévu de l'écrire ? Il veillerait toutefois à ne rien demander qui aurait pu éveiller les soupçons du romancier. Néanmoins, dans cet océan d'interrogations, l'une surnageait qu'il ne pourrait pas aborder : pourquoi manquait-il un pan de l'histoire ? Savoir qu'une partie des méfaits ayant eu lieu sur l'île cette nuit-là demeurait dans l'ombre le troublait jusqu'au malaise.

Il était presque 17 heures lorsque plusieurs taxis et un bus arrivèrent en même temps et le tirèrent des abîmes de perplexité dans lesquels il s'embourbait. Un flux d'une soixantaine de personnes se déversa dans la gare, entraînant avec elles un début de brouhaha qui se dissipa rapidement. Bien sûr, les deux hommes ne purent pas se reconnaître et ils passèrent de longues minutes dans le plus grand silence à quelques mètres à peine l'un de l'autre en scrutant les lieux à la recherche de celui qu'ils attendaient.

À mesure que les voyageurs quittaient les lieux et se faisaient moins nombreux, Bill sentit sur lui le regard insistant de l'un d'eux : c'était un homme plus petit que lui, très pâle, avec des cheveux bruns et longs attachés en queue-de-cheval et un début de barbe aussi ridicule que celui qu'arborerait un adolescent. Sa narine était percée d'un minuscule bijou noir très brillant et il portait des lunettes à l'épaisse monture en plastique bleu. Dans l'ensemble, un gringalet mal fagoté.

Cet homme aux allures de lutin s'approcha de Bill.

— Vous êtes le professeur Herrington ? demanda-t-il timidement.

Bill tarda à répondre. Ainsi c'était lui, son mystérieux adversaire. Jamais il n'aurait pu l'imaginer fait de cette manière. Pour un peu, il aurait pu passer pour un de ces étudiants rebelles comme Henry Cushing en comptait parfois dans ses rangs.

Il jaugeait Kirkpatrick sans rien dire et ce dernier commença à rougir. Bill se demanda si tout cela était bien sérieux : cet avorton à peine trentenaire semblait inoffensif.

— C'est moi, répondit-il enfin. Vous êtes en retard.

— C'est vrai, bredouilla Kirkpatrick, et c'est ma faute : j'ai donné une mauvaise adresse au chauffeur en arrivant de l'aéroport et nous étions partis dans une direction totalement opposée !

Il se mit à rire comme si tout cela n'avait pas la moindre importance.

Bill ricana de concert avec lui avant de reprendre la parole avec une délectation cruelle.

— Eh bien, cher monsieur, je crois que nous allons devoir rentrer à pied sous la pluie : avec mon bras je ne peux pas conduire et la dame qui a eu la gentillesse de m'amener jusqu'ici ne pouvait pas attendre plus longtemps. Mais ne vous inquiétez pas : nous en avons pour à peine plus d'une demi-heure.

Il observa attentivement le visage de l'écrivain et fut déçu de remarquer que la perspective de marcher sous ce déluge ne le dérangeait pas.

— Pas de problème ! s'exclama Kirkpatrick. J'ai affronté bien pire dans la forêt amazonienne, et j'adore la pluie : j'ai l'impression qu'elle me purifie.

Bill dévisagea Kirkpatrick.

— Et vos bagages ? demanda-t-il. Ça ne va pas être trop lourd à traîner ?

Le romancier rigola.

— Non, répondit-il, je voyage léger : tout est dans mon sac à dos.

Sa timidité s'était quelque peu estompée et il s'adressait désormais à Bill comme si ce dernier avait toujours été son plus vieil ami. Bill ne l'en détesta que plus.

Ils se mirent en route et Bill crut que ce petit voyage n'en finirait jamais. Kirkpatrick l'abreuva de paroles tout le temps que dura leur périple. Le romancier lui raconta sa vie dans les moindres détails : sa naissance dans l'Illinois où il avait connu une enfance heureuse entre des parents aimants et un frère et une sœur plus âgés. Tout s'était assombri à la mort de son frère : ses parents avaient failli ne pas s'en remettre et se séparer mais, contre toute attente, ils avaient tenu bon, bien qu'ils n'aient plus été les mêmes par la suite. Sa mère était morte quand il avait 20 ans et son père l'avait rejointe il y avait deux ans.

C'était l'un de ces instants où Bill aurait dû compatir aux malheurs de Kirkpatrick mais il n'en fit rien : il souhaitait seulement qu'il se taise et que le reste du trajet se fasse dans le silence.

L'écrivain, lui, n'en avait cure. Il se saoulait de mots sans même attendre de réaction de la part de Bill. Tout ce qu'il voulait, c'était poursuivre à voix haute le récit de sa vie, rien que pour lui et pour un public imaginaire suspendu à ses paroles et qui en demandait plus, encore et toujours plus.

Bill eut donc droit à toute la scolarité de Kirkpatrick : son parcours d'élève en révolte contre des professeurs exaspérés par son insolence et son côté rebelle. « J'ai toujours été un artiste, Bill, sachez-le. J'ai le tempérament qui va avec. »

Il évoqua aussi sa première petite amie, Francine, une jeune Guadeloupéenne qui effectuait une année d'études aux États-Unis. C'était elle qui l'avait encouragé à écrire, à surmonter ce complexe d'infériorité qui lui barrait la route de la littérature. Il s'était alors attelé à l'écriture de nouvelles qui lui avaient valu une petite renommée dans l'Oregon où il avait fini par s'installer. Francine était rentrée chez elle et il avait collectionné les conquêtes jusqu'à la rencontre de Juliette, son âme sœur.

Elle était une championne de natation en devenir et l'université comptait beaucoup sur elle afin de pouvoir se targuer un jour d'avoir eu en son sein une nageuse olympique.

Juliette était grande et carrée et les gens se moquaient parfois du couple qu'elle formait avec Dick – car il était désormais convenu que Bill n'appellerait pas Kirkpatrick autrement –, pourtant elle l'aimait et pouvait affronter le regard des autres sans rougir. Les jeunes gens s'étaient rapidement mariés et avaient eu un enfant prénommé Herman, en hommage à Melville.

Comme Dick l'avait dit à Bill au téléphone, tout ne s'était pas bien terminé avec Juliette. Étant un incorrigible séducteur, Dick avait eu une aventure avec une de ses étudiantes âgée de 19 ans. Il refusait de cacher cet aspect de sa personnalité et voulait assumer pleinement ses erreurs aux yeux du monde : il aimait passionnément l'amour sous toutes ses formes, et tout particulièrement dans le cadre d'une relation professeur-étudiant. Sans doute le caractère sulfureux des liaisons de ce genre l'attirait-il.

Cependant, il s'était retrouvé seul du jour au lendemain, alors même qu'il venait de remettre sa démission d'enseignant pour pouvoir écrire en toute liberté son second roman. Cette solitude qui lui pesait tant, comme il avait déjà eu l'occasion de le dire à Bill. Et cette terreur qui s'emparait de lui le soir quand la nuit emprisonnait sa grande maison dans son silence de mort.

À ce moment, Bill ressentit une soudaine bouffée d'empathie pour Dick.

— Et vous enseigniez quoi, à la fac, avant de démissionner ? demanda-t-il.

— La littérature comparée, répondit Kirkpatrick, mais l'étudiante avec laquelle j'ai couché, je l'ai rencontrée dans mon cours d'écriture créative.

— Oh, vous apprenez aux autres à écrire, fit Bill sans pouvoir dissimuler le caractère dubitatif de sa remarque.

Cela fit ricaner le romancier.

— Vous faites partie de cette petite poignée de personnes qui regardent encore les ateliers d'écriture de haut… Vous ne seriez pas français par hasard ?

Bill se surprit à rire du bon mot de son interlocuteur.

— Vous savez, reprit ce dernier, c'est très enrichissant comme activité. Tenez : l'idée d'écrire un roman sur la culpabilité m'a toujours taraudé, mais c'est à l'occasion d'un travail de groupe que j'ai trouvé le sujet de mon bouquin.

Bill se figea sur place et se tourna vers Kirkpatrick.

— Je vous demande pardon ?

Dick fut étonné de le voir s'arrêter aussi brutalement en chemin pour le fixer d'un air anxieux. Un

4 × 4 passa près d'eux et roula dans une flaque qui les éclaboussa.

— Enfoiré ! hurla Kirkpatrick.

Bill ne prêta même pas attention à la gerbe d'eau qui venait de le tremper jusqu'aux os. Une fois dissipé le moment de stupéfaction qui s'était emparé de lui une minute auparavant, il préféra reprendre la route sans revenir sur cette histoire d'atelier d'écriture.

C'était évident : Kirkpatrick ne pouvait pas être la main qui intriguait dans l'ombre pour emprisonner Bill jusqu'à l'asphyxie. Jamais ce crétin de romancier n'aurait été capable d'ourdir un complot aussi sophistiqué. Le coupable se trouvait parmi ses anciens élèves apprentis écrivains, et nulle part ailleurs.

Bill faisait tout pour garder le contrôle mais les idées se bousculaient sous son crâne. Il croyait voir des silhouettes se dessiner dans la lumière des phares des voitures qui continuaient de les frôler. Elles étaient comme des fantômes fugitifs et insolents.

— Vos élèves seraient intéressés, d'après vous ? demanda Kirkpatrick.

Bill n'avait pas prêté attention aux dernières paroles de l'écrivain.

— Intéressés par quoi ?

— Par un atelier d'écriture.

Bill laissa passer quelques secondes avant de se décider à répondre.

— C'est possible. Il y en a toujours deux ou trois qui se sentent l'âme d'un écrivain, surtout à leur âge.

— Vous croyez que je pourrais les rencontrer pour leur proposer quelques séances? Je suis venu avec tellement d'avance : ça pourrait être une façon intéressante de mettre à profit le temps que j'ai devant moi...

— Ça pourrait se faire. J'en parlerai au collègue qui me remplace pour le moment...

— Vous êtes en arrêt de travail? demanda Kirkpatrick benoîtement.

À nouveau, Bill s'arrêta et se tourna vers lui. Il désigna son bras plâtré.

— Oh, bon Dieu, oui, bien sûr! s'exclama l'écrivain.

Bill l'observa en souriant : il le détestait toujours, mais le fait de savoir qu'il n'était pas directement à l'origine de ses ennuis l'amenait à le juger avec plus de mansuétude. Ses vêtements à bon marché trempés de pluie lui donnaient des allures de clochard – ou de beatnik, à tout le moins. Ses longs cheveux n'étaient sans doute pas pour rien dans cette impression.

Il se remit en marche.

— J'ai cru comprendre, monsieur Kirkpatrick... poursuivit-il.

— « Dick », corrigea l'autre.

— Excusez-moi, *Dick*... J'ai cru comprendre, donc, que vous étiez quelqu'un d'aisé.

— Vous me dites ça parce que je ne ressemble pas à quelqu'un de riche, n'est-ce pas?

— Entre autres, oui...

— Vous n'êtes pas le premier à me faire la réflexion. En fait, chaque fois qu'on me fait cette remarque, je réponds que pendant longtemps, ce sont mes parents qui ont été riches, pas moi. Une fois qu'ils sont morts tous les deux et que ma sœur et moi avons hérité, là, oui, je suis devenu riche. Mais c'était trop tard pour changer mes habitudes vestimentaires et capillaires, si c'est bien à ça que vous faites allusion.

— On ne peut rien vous cacher. Toutefois je dois dire que c'est tout à votre honneur d'être resté fidèle à votre mode de vie…

— C'est drôle, parce que parler de ça me rappelle les cours d'écriture que je donnais encore il y a peu. Beaucoup d'apprentis auteurs se rêvent en écrivains riches et imaginent tout de suite que s'ils gagnent le jackpot éditorial, ils vont d'abord s'acheter une grande et luxueuse maison sans voisins et avec piscine…

— Ce n'est pas moi qui les blâmerais, surtout pour les voisins !

— Oui… Et chaque fois que je leur demande s'ils ont l'intention de changer leur façon de vivre, ils me répondent que non, qu'ils resteront les mêmes. Pourtant, s'ils sont prêts à changer de maison, c'est-à-dire l'intégralité de l'univers avec lequel ils sont en contact quotidiennement, ils finiront par percevoir autrement, et donc par penser autrement. À la fin, ils seront quelqu'un d'autre, qu'ils le veuillent ou non…

Bill ne répondit pas car il ne comprenait pas du tout où Kirkpatrick voulait en venir.

— L'idée selon laquelle on peut être quelqu'un de fondamentalement différent en fonction du lieu où l'on vit, voire du lieu où l'on se trouve, ça m'obsède… Tenez : on n'aurait probablement jamais eu la conversation que nous avons si on ne s'était pas trouvés tous les deux sous la pluie, en soirée, avec ces saloperies de voitures qui nous éclaboussent sans arrêt… C'est un peu ce que je voulais faire dans mon roman : essayer de prouver que tous ces jeunes qui s'adonnent à des activités pas forcément recommandables et parfois même criminelles agissent de cette façon à cause de Mohegan Island.

Bill eut l'impression que la lame acérée d'un glaive venait de lui frôler dangereusement la nuque. Il ralentit le pas, cette fois-ci sans se retourner.

— À cause de quoi, dites-vous ? demanda-t-il.

— Mohegan Island, répéta Kirkpatrick. Oh, c'est vrai ! Je n'ai pas donné le nom de l'île dans le bouquin ! C'est poétique, pourtant. *Mohegan Island*. C'était le titre de la nouvelle de l'élève dont je me suis inspiré. Avec son autorisation, bien sûr ! J'ai trouvé ça tellement beau que j'ai cru que c'était une invention, tout d'abord. Eh bien, figurez-vous qu'elle existe, cette île : au large du Maryland, si j'ai bonne mémoire…

Bill se garda bien de préciser que c'était au large du New Jersey et non du Maryland qu'elle se trouvait.

— Et de quoi parlait exactement cette nouvelle ? se risqua-t-il à demander.

— En principe, je n'ai pas le droit de vous le dire : c'est une sorte de clause de confidentialité. Si les élèves veulent publier leurs travaux de leur côté, je dois garder le secret absolu. En plus, je vous avouerai que cette nouvelle ne devait pas être très longue et que sa lecture remonte à presque trois ans, alors… Mais vous pouvez être rassuré : c'est plus l'impression poétique qu'elle a eue sur moi qui compte. Tous les événements décrits dans le bouquin sont ma seule œuvre !

— Vous m'en voyez ravi…

Il ne restait plus longtemps avant d'arriver à destination et la fin du trajet se fit dans un silence qui trahissait l'épuisement de Kirkpatrick après toute une journée à voyager.

Bill était désormais convaincu d'une chose : sous des dehors plutôt sympathiques, Kirkpatrick était capable des pires mensonges, et le caractère prétendument fictionnel du roman en était la preuve : l'écrivain répugnait à reconnaître que la nouvelle originale devait être un récit bien plus substantiel qu'il ne le disait – preuve en étaient les nombreux détails véridiques qui parsemaient le roman. Une autre personne, en revanche, savait que l'imagination n'avait rien à voir avec tout cela : c'était le mystérieux auteur du récit.

Soudain, Kirkpatrick poussa une exclamation qui sortit Bill de sa léthargie.

— Ça alors ! Je ne savais pas qu'il y avait des loups dans ce coin du pays ! Il y en a encore dans les Appalaches ?

227

Bill tourna la tête de droite et de gauche pour apercevoir l'animal et Kirkpatrick le lui désigna du doigt.

— Là, dit-il, il va s'enfoncer dans les fourrés…

C'était vrai, même si Bill put seulement distinguer l'arrière-train de la bête. Il en demeura bouche bée.

— Il doit y avoir des forêts pas loin, dit Kirkpatrick, mais ça m'étonne quand même d'en trouver un ici.

C'était la troisième fois en très peu de temps qu'il le voyait, et le fait que Kirkpatrick l'ait vu à son tour lui prouvait au moins qu'il n'avait pas souffert d'hallucinations. Était-ce la fatigue ? la paranoïa ? cette vie nouvelle qu'il n'avait pas choisie et qui lui pesait ? Bill n'en savait rien mais il commençait à croire que ce loup n'avait rien de normal et qu'il était peut-être un esprit, un fantôme lointain de son passé chargé de le suivre à la trace tant que tous ses péchés n'auraient pas été expiés. Et qui sait si, une fois las des tortures infligées à Bill, il ne se contenterait pas de le croquer tout cru pour mettre un terme à cette comédie ?

*

Quand ils arrivèrent chez Bill, le premier réflexe de Kirkpatrick fut de se déshabiller alors qu'ils étaient encore dans le hall d'entrée. Il se débarrassa de son immonde pull en laine beige gorgé d'eau ainsi que de son jean. Il ôta aussi son tee-shirt blanc largement troué à l'aisselle et libéra ses cheveux avant de secouer la tête et d'envoyer des gouttes d'eau partout autour de lui.

Bill observa à la dérobée ce corps glabre, maigre et blanc : on aurait dit un petit poulet déplumé, ou, pour donner dans une référence plus culturelle, un Espagnol fervent du XVe siècle prêt à s'autoflageller lors des processions de la semaine sainte.

Kirkpatrick ramassa ses affaires dégoulinantes qui laissèrent derrière elles une petite flaque sur le carrelage.

Alan arriva. Elle devait être dans la chambre d'ami et avait été attirée par le bruit que faisaient les deux hommes dans l'entrée. À la vue du Christ miniature trempé jusqu'aux os, elle se figea sans savoir quoi dire. Bill perçut le malaise de la jeune fille et décida de prendre les devants.

— Je vous présente Alan Kemper, dit-il à Kirkpatrick.

Le regard de ce dernier s'alluma d'un feu qui n'était pas complètement innocent.

— Oh, c'est vous ! s'exclama-t-il. Je pensais que vous étiez un garçon !

Il se mit à rire et avança tout droit vers Alan, en caleçon et avec ses affaires mouillées sur le bras. Elle demeura paralysée par cette première rencontre.

— Je suis Richard Kirkpatrick, dit-il, tout sourire, mais vous pouvez m'appeler Dick.

Il lui posa deux bruyantes bises sur les joues. Bill eut envie de rire face à cette attitude peu orthodoxe.

— Et dire que vous me trouviez très français tout à l'heure ! dit-il à Kirkpatrick.

Ce dernier prit un air faussement désolé et présenta des excuses à Alan.

— J'espère ne pas vous avoir choquée, dit-il, c'est juste que j'aime le contact physique avec les gens qui me font bonne impression. On est tellement coincés sur ce genre de questions, en Amérique.

Il plongea alors ses yeux dans ceux de l'étudiante. Bill ne savait pas ce qui pouvait le mieux caractériser le regard de Kirkpatrick en ce moment : la candeur ou le vice. Sans doute un subtil mélange des deux. Ce qui le chagrina un peu, ce fut le changement qu'il nota dans l'attitude d'Alan. Il sentait qu'elle se détendait peu à peu et, comme pour confirmer ses impressions, un sourire timide naquit sur son visage. La connexion était faite entre ces deux-là. Bill venait d'être détrôné chez Alan par un nabot sans aucun autre atout qu'un charme fou, provocateur et naïf.

Kirkpatrick rompit le lien magnétique qui s'était créé entre Alan et lui puis il se tourna vers Bill.

— Vous pourriez m'indiquer la salle de bains, s'il vous plaît ? demanda-t-il.

— Bien sûr, répondit Bill, au fond du couloir sur la gauche, la dernière porte.

Kirkpatrick le remercia et adressa un rapide salut de la tête à la jeune fille qui n'avait pas décroché un mot. Bill fut presque surpris qu'il ne lui fasse pas un petit clin d'œil.

Une fois Kirkpatrick disparu dans la salle de bains, Alan s'approcha de Bill, rose d'émotion.

— Je ne l'imaginais pas du tout comme ça, murmura-t-elle sans parvenir à cacher son enthousiasme.

— Aucune personne saine d'esprit ne pourrait imaginer un type pareil…

— Pourquoi est-il tout mouillé ? se demanda-t-elle sans avoir accordé d'importance à la remarque fielleuse de Bill.

— Nous sommes rentrés à pied, répondit Bill avec le plus grand naturel.

— À pied ? s'exclama Alan. Vous auriez dû m'appeler, je serais venue vous chercher.

— Dans ce cas, vous auriez privé notre poète d'une randonnée qui l'a enchanté. Et pour ma part, je n'aurais pas eu le plaisir de discuter avec lui…

— Ah oui ? Est-ce qu'il est intéressant ? Vous avez abordé quels sujets ? Son travail ? sa vie ?

— Oui, dans les moindres détails : et son parcours n'a pas été facile. Vous savez qu'il a quitté sa femme ?

Les yeux d'Alan brillèrent.

— Oui, répondit-elle, je crois me souvenir qu'il m'en a parlé mais il n'a pas été très expansif sur ce point.

— Eh bien, j'ai eu le fin mot de l'histoire, figurez-vous : notre écrivain a enfin décidé de vivre pleinement son homosexualité !

Cette révélation éteignit tous les espoirs scintillant dans le regard d'Alan.

— Oh, fit-elle.

Bill ne put s'empêcher d'éprouver une amertume qu'il dissimula du mieux qu'il put.

— Je vous taquine, dit-il, vous pourrez toujours tenter votre chance auprès du nouveau James Ellroy si ça vous chante : il a l'air d'être un chaud lapin.

— Monsieur Herrington! s'écria Alan.

Il se sentit honteux d'avoir tenu de tels propos et tenta de rattraper le coup.

— Écoutez, Alan, je ne voulais pas vous heurter… Tout ce que je voulais dire, c'est que vous devez faire attention avec lui : les écrivains sont souvent des vampires, ou des charognards. Les êtres les plus égoïstes que la terre ait jamais portés. Préservez-vous, si vraiment vous devez avoir le béguin pour lui…

En principe, Alan aurait dû remettre Bill à sa place et lui suggérer de se mêler de ses affaires, mais un lien particulier s'était tissé entre elle et lui au cours des semaines passées, et elle ne pouvait s'empêcher de penser que quelque chose de sincère gisait dans l'océan de mesquinerie qu'il venait de lui servir.

Elle ne répondit pas, ce dont Bill lui fut intérieurement reconnaissant.

— En tout cas, reprit-il sur un ton plus détendu, c'est un drôle de type. Je parie qu'il a oublié de louer une chambre d'hôtel…

— Il est étrange à ce point-là?

— Je crois, oui.

Il fixa soudainement Alan. Elle eut l'impression d'être passée aux rayons X.

— Alan, mon petit, je me dois de vous rendre votre liberté, dit-il.

— Ma liberté ?

— Oui. J'ai abusé de votre temps et vous feriez mieux de rentrer chez vous avec votre colocataire avant que les gens ne se mettent à jaser.

— Mais comment allez-vous faire pour supporter la solitude ?

Cette inquiétude à son endroit réchauffa un peu le cœur de Bill.

— Quelle solitude ? répondit-il en désignant le fond du couloir d'un coup de menton. Je crois que je viens juste de trouver un nouveau colocataire.

XV

Bill n'avait pas eu le temps de finir sa phrase que Kirkpatrick lui avait sauté au cou : oui, il acceptait avec bonheur de s'installer chez lui quelque temps. Bill avait eu toutes les peines du monde à se libérer de l'étreinte de l'écrivain qui était désormais propre et sec mais toujours vêtu d'un simple caleçon. Si Lisa avait décidé de rentrer à la maison à ce moment-là, elle aurait pu formuler des hypothèses hâtives – et tout à fait plausibles – à propos du secret que son mari s'entêtait à lui cacher.

Une nouvelle forme de colocation commençait donc pour Bill Herrington, et elle était moins discrète et plus bruyante que ne l'avait été la précédente. Plus intéressante aussi, à certains égards. Bill comprit à cette occasion qu'Alan, si elle était une perle rare, manquait tout de même d'une touche d'originalité.

C'était justement ce dont Bill sut gré à Kirkpatrick : atténuer la blessure inextinguible que restait pour lui l'absence de Lisa. Elle lui manquait souvent, et il ressentait un vertige cruel face au vide qu'elle avait laissé derrière elle, surtout la nuit, dans ce grand lit au milieu duquel il rêvait parfois qu'il se perdait. Plus d'une fois, à minuit passé, quand il se retrouvait seul parce que Dick écrivait ou était sorti, Bill avait voulu appeler Lisa, pour entendre le son de sa voix et lui dire qu'il l'aimait. Il ne l'avait pas fait parce qu'il savait trop bien qu'il ne recevrait jamais qu'un seul mot en réponse à toutes ses déclarations d'amour et aux excuses qu'il lui présenterait.

Pourquoi ?

Pourquoi ces secrets et ces mensonges ? Pourquoi accepter l'éloignement de sa femme et de ses filles ? Pourquoi ce mutisme ?

Et plutôt que de lui opposer une nouvelle fois un silence douloureux, il préférait ne pas le provoquer, quand bien même devait-il souffrir comme un animal blessé.

Bientôt, il espérait pouvoir tout lui raconter. Et les choses reviendraient à la normale. En attendant, il devait se montrer courageux et découvrir la vérité.

Kirkpatrick était loin d'imaginer le chaos et le chagrin qui régnaient dans l'esprit de Bill et il vivait à ses côtés en toute innocence, tel un vieil ami, avec sa fraîcheur et son charme fou. Sans doute était-ce pour cette raison que Bill s'était surpris à développer une dépendance affective à l'égard de l'écrivain.

Tous les matins, il trouvait le romancier affairé en cuisine : il préparait à son hôte des petits déjeuners somptueux et Bill n'avait plus qu'à mettre les pieds sous la table.

— Si je vous avais rencontré plus tôt, c'est vous que j'aurais épousé! plaisanta Bill.

— Ça n'aurait pas marché, répondit l'autre. J'ai été en ménage une seule fois avec un homme et ça ne m'a pas plu. Sans compter que vous êtes bien trop vieux pour moi.

Bill ne sut quoi répondre et Kirkpatrick éclata de rire.

— Je rigole! s'exclama-t-il.

Et Bill ne comprit pas quelle partie de la phrase de Kirkpatrick relevait de la boutade.

Cependant, il y eut bien un dimanche matin au début duquel Bill ne fut pas réveillé par les parfums doux et sucrés du petit déjeuner. Kirkpatrick avait visiblement découché et Bill dut – à son grand regret – se contenter d'un repas classique, terne et solitaire.

Il venait seulement de finir quand il entendit le bruit de la porte d'entrée.

Kirkpatrick déboula dans la cuisine, visiblement épuisé mais arborant un sourire de satisfaction niaise.

— Oh, merde, Bill! Je suis navré. Je voulais rentrer plus tôt mais… j'ai été retenu.

Il adressa à Bill un regard sans équivoque.

— Je vois que vous faites plus ample connaissance avec notre petite ville, répondit ce dernier d'un ton narquois.

— Oui, je tiens à m'imprégner de la magie des lieux.

Kirkpatrick se dirigea vers le frigo et y prit de quoi manger. Il s'installa à table, rêveur. Pendant une minute, Bill crut être en présence de Neal – en moins raffiné, certes. Kirkpatrick avait la même insolence candide que lui, une forme de nonchalance amusée qui laissait penser que rien ne pouvait l'atteindre. S'il ressemblait autant à Neal que Bill le soupçonnait, alors Kirkpatrick cachait ses blessures avec une grande habileté. Neal dont Kirkpatrick, sans en être conscient, avait su brosser le portrait avec tant de justesse dans son roman.

Ce roman.

Bill ne devait pas perdre de vue qu'il devait absolument découvrir qui était l'auteur de la nouvelle dont Kirkpatrick s'était inspiré pour en faire son histoire. Maintenant que l'écrivain se trouvait tout près de lui, sous son propre toit, Bill avait tendance à ne plus le voir comme l'ennemi sans consistance qu'il avait fantasmé avant de le rencontrer.

Avec le plus de discrétion possible, il avait étudié le quotidien de Kirkpatrick durant les premiers jours : il avait constaté qu'il n'écrivait presque jamais dans la journée mais principalement aux premières heures du matin ou tard dans la nuit – ce qui voulait dire qu'il n'avait pas besoin de beaucoup dormir.

Kirkpatrick écrivait sur une tablette de type iPad avec un clavier amovible. Il n'avait aucun lieu de prédilection pour l'écriture et Bill l'avait surpris quelquefois en train de pianoter sur son appareil dans le salon ou même dans la cuisine. Dans ces moments,

Kirkpatrick semblait absent, comme hypnotisé par son écran. Il tapait à une vitesse folle pendant une heure ou deux sans discontinuer, puis, d'un seul coup, il arrêtait et éteignait sa tablette. S'il remarquait que Bill était en train de l'observer, son visage reprenait des couleurs et la raideur marmoréenne dans laquelle il était figé se détendait peu à peu. Cette métamorphose ne durait pas plus d'un quart de seconde mais elle était frappante, comme s'il existait deux êtres diamétralement opposés dans ce même homme : l'écrivain intime, sans émotion, seulement préoccupé par son texte, et Dick, le compagnon serviable et chaleureux, puéril et agréable.

Tout le reste de la journée, Kirkpatrick allait se promener en ville, avec ou sans Bill. Quand ce dernier partageait les balades de son invité, le temps courait à une vitesse folle. Arrivait toujours un instant où les histoires de Kirkpatrick donnaient le vertige à Bill, et c'était une ivresse des plus plaisantes : le jeune homme avait un réel sens de la narration, coloré et rehaussé d'anecdotes et de détails en apparence inutiles mais qui donnaient vie à son récit. En trois jours, Bill en apprit plus sur la généalogie du romancier que sur sa propre famille en toute une vie.

En début de semaine, Kirkpatrick devait se rendre à Henry Cushing pour y rencontrer Mme Carlucci et discuter avec elle de son projet d'atelier d'écriture. Lorsqu'il proposa à Bill de l'y accompagner, celui-ci prétexta une migraine sans doute due à ces maudits antidouleurs. Kirkpatrick n'insista pas et lui demanda s'il n'avait besoin de rien avant son départ. Bill le remercia et lui indiqua qu'il se reposerait un peu. Kirkpatrick partit, les mains dans les poches. Comme Teresa l'avait convié à déjeuner avec elle, Bill avait toute la journée devant lui pour chercher dans ses affaires un quelconque indice concernant le roman.

Quand il pénétra dans la chambre d'ami, il fut submergé par un intense sentiment de honte : jamais il n'avait violé l'intimité de qui que ce fût et, à l'occasion de cette triste première fois, il prit conscience de la sympathie naissante qu'il éprouvait pour Kirkpatrick. Il essaya de trouver une motivation en se persuadant que ce n'était pas Dick qui l'intéressait, mais le salopard qui lui avait fourni la dynamite qui menaçait de pulvériser sa petite vie sans prétention. Il était inconcevable de tout perdre à cause d'un corbeau qui s'était fait passer pour un apprenti écrivain.

Il demeura figé au milieu de la pièce, paralysé par une angoisse étrange.

Tout était propre et rangé, contrairement à ce qu'il avait imaginé : aucun sous-vêtement sale à même le sol, et le lit était fait. Il n'y avait pas à dire : Kirkpatrick avait un minimum de savoir-vivre.

Bill remarqua tout d'abord que la tablette de Dick était posée sur la table de nuit, branchée au chargeur. Il la prit délicatement, comme si elle devait exploser ou déclencher une alarme qui avertirait Kirkpatrick dans la seconde, puis il l'ouvrit. Par chance, aucun mot de passe n'était requis pour l'utiliser.

Bill passa en revue les documents et photos que contenait la tablette sans rien découvrir de probant. Avant d'abandonner, il trouva un dossier intitulé « Pardonne-moi » et il l'ouvrit. Ce devait être la première mouture de son prochain roman. En survolant rapidement les pages du dossier Word, Bill comprit qu'il s'agissait d'une sorte d'autobiographie déguisée dans laquelle Kirkpatrick se mettait en scène sous un nom d'emprunt et se proposait d'écrire à sa femme un livre pour lui expliquer les racines anciennes du mal qui avait causé leur rupture.

Bill ne s'y attarda pas plus longtemps. Ce qu'il avait lu confirmait que Kirkpatrick dissimulait bel et bien un malaise profond. Il eut de la peine pour lui.

Parmi les images que la tablette contenait figuraient des photos de famille où apparaissaient les personnes dont Bill avait entendu l'histoire récemment. Presque toutes étaient mortes et n'avaient pas eu la vie facile : pouvoir mettre un visage sur ces douleurs bouleversa Bill — et cela d'autant plus que chacun souriait à la vie sur ces clichés anciens que Kirkpatrick avait pris soin de numériser.

Avant de passer à autre chose, Bill remarqua une icône sur le bureau : elle était nommée « MI ». Il n'en fallut pas plus pour qu'il en conclût qu'il s'agissait de l'abréviation de « Mohegan Island ».

Lorsqu'il cliqua sur l'icône, il fut surpris de voir s'afficher une demande de mot de passe. Le seul élément qui pouvait l'intéresser était protégé par une barrière infrangible — pour lui, en tout cas. D'un seul coup, Bill vit tous ses soupçons envers l'écrivain renaître de leurs cendres. Pourquoi prendre soin de mettre sous clé des informations sur un roman déjà paru quand le brouillon du suivant était à la portée du premier venu ?

Il se rappela alors la confidentialité absolue des textes émanant de ses élèves. En fin de compte, c'était très logique : il suffisait que l'auteur de la nouvelle la lui ait envoyée en mode protégé pour expliquer cela. C'était arrivé à Bill plus d'une fois avec les dossiers que Teresa Carlucci lui faisait parvenir par courriel sans lui donner le mot de passe pour y accéder.

Il hocha vivement la tête afin de s'en persuader un peu plus et éteignit la tablette. Il se leva, fouilla, et ne trouva rien dans le seul sac que Kirkpatrick avait emporté – il tomba seulement sur ce qu'il croyait être une sorte de jouet, mais la proximité de l'objet en plastique avec des préservatifs et du lubrifiant lui arracha une grimace de dégoût et il se dépêcha d'aller laver sa main dans la salle de bains.

Une fois nettoyé des résidus éventuels des activités lubriques du romancier, Bill comprit qu'il n'avait plus rien à faire ici, et qu'il avait enfreint pour rien la règle qu'il s'était fixée depuis toujours de ne jamais forcer l'intimité d'autrui.

Il quitta la chambre pour retourner dans son bureau et s'installer sur son canapé.

Il fut incapable de recouvrer son calme. L'excitation qu'il éprouvait après avoir commis cette sorte de crime ne retombait pas et il ne craignait plus qu'une chose désormais : que sa culpabilité se lise dans ses yeux. Et puis il y avait ce dossier MI qui n'en finissait plus de tourner dans sa tête.

C'était trop bête : il se releva pour chercher une clé USB dans les tiroirs de son bureau. Quand il en trouva une, il se dirigea d'un pas décidé dans la chambre de Kirkpatrick et alluma de nouveau la tablette : s'il ne parvenait pas à ouvrir ce dossier, quelqu'un dans son entourage serait bien capable de le faire pour lui.

D'un geste très sûr, il enclencha le transfert du dossier MI sur la clé : tout sembla bien commencer lorsqu'un message d'alerte s'afficha. Une corruption quelconque du système venait de se produire. Étrangement, le message refusait de disparaître de l'écran. Il tenta de cliquer, d'éteindre, de frapper l'appareil même. En vain.

— Et merde ! grogna-t-il.

Une demi-heure s'écoula sans que la situation évolue. Bill chercha même à retirer la batterie mais la machine n'avait rien à voir avec son propre téléphone. Il était impossible de laisser la tablette en l'état : Kirkpatrick comprendrait immédiatement que Bill avait fouillé dans ses affaires.

Il se précipita dans sa chambre avec la tablette et alluma son propre ordinateur : il passa en revue tous les forums proposant une solution à « tablette bloquée » « ma tablette refuse de s'éteindre » et d'autres intitulés qui prouvaient au moins qu'il n'était pas le seul à avoir été confronté au problème.

Il trouva enfin une solution : on proposait de réinitialiser la machine. Bill vit dans la marche à suivre une lueur d'espoir car Darlene avait dû elle aussi en passer par là avec son smartphone. Pas à pas, Bill suivit les instructions données par l'auteur du tutoriel et, par miracle, l'écran s'éteignit.

Il en éprouva un bonheur qui fut de courte durée quand il vit un message figurant en *nota bene* à la fin du tutoriel : « Prenez garde à bien sauvegarder toutes vos données avant de procéder à la réinitialisation, sans quoi elles seront définitivement perdues ! »

— Oh, mon Dieu ! Non ! hurla-t-il.

Après avoir remis l'appareil en marche, un message de bienvenue s'afficha qui confirma les sombres craintes de Bill : on l'invitait à patienter durant la mise en route et la configuration de sa tablette. Il était foutu : tout avait disparu. La situation était encore pire que précédemment et c'est pourquoi, au bout d'un quart d'heure de vaines tergiversations et dans un geste désespéré, Bill se dirigea dans la salle de bains et fit couler de l'eau bouillante dans le lavabo. Lorsque le niveau fut assez élevé, il fit glisser la tablette dans l'eau et attendit.

L'écran s'éteignit. L'appareil se mourait.

Avec beaucoup de précautions pour ne pas se brûler, Bill récupéra la tablette et la sécha dans une serviette. Il prit un sèche-cheveux pour parachever son œuvre tout en se souvenant bien que Darlene lui avait dit que c'était la dernière chose à faire en cas d'accident de ce genre.

Une demi-heure après, quand il fut certain que plus aucune trace d'eau ne restait dans l'appareil, il le remit en place et le brancha. Par un heureux hasard, il y eut une étincelle et un crépitement au contact du courant, puis une légère odeur de brûlé se diffusa dans la pièce. Ce malheureux court-circuit était une explication tombée du ciel.

Pour peaufiner sa mise en scène, Bill plongea son bureau dans le noir afin de rendre plus crédible sa prétendue migraine. Il s'allongerait sur le canapé jusqu'au retour de Kirkpatrick plus tard dans la journée. Mais avant cela, il voulait manger un morceau : ces émotions lui avaient donné une faim de loup.

XVI

Bill avait fini par s'endormir pour de bon quand Kirkpatrick avait frappé à la porte du bureau.

D'une voix qui se voulait la plus maladive possible, Bill lui dit qu'il pouvait entrer.

— Oh, merde, je te réveille, fit Kirkpatrick.

— Pas grave : j'ai eu la tête dans un étau toute la journée. Tout va bien de ton côté ?

— Oui, la journée a été sympa, sauf quand je suis rentré : cette merde de tablette a grillé !

Bill se redressa et alluma sa lampe de bureau. Une lumière sinistre et fatiguée envahit alors la pièce sans parvenir à en occuper tous les coins.

— Qu'est-ce que tu racontes ? demanda Bill. Qu'est-ce qui a grillé ?

— Ma tablette. Elle a dû être en surchauffe ou un truc comme ça. Impossible de la faire repartir.

— Oh, je suis désolé, Dick, j'espère que ça ne vient pas de l'installation : cette baraque n'est plus toute jeune et... Je te rembourse si tu veux !

— Ne dis pas de conneries, répliqua Kirkpatrick en riant, je m'en paierai une autre, j'ai les moyens. C'est emmerdant de me retrouver sans rien, c'est tout.

— Tu avais tous tes documents là-dedans ?

— Ça n'est pas le problème : j'enregistre tout sur le cloud donc rien n'est perdu. C'est juste que ça va être moins pratique pendant quelque temps.

— Tu peux utiliser mon portable si tu veux !

— Ne t'en fais pas, je te dis… J'irai en racheter un en ville dès que possible. C'est surtout pour toi que ça m'ennuie, en fait : j'avais là-dedans la nouvelle originale qui m'a donné l'idée de mon bouquin. J'avais envie de te la faire lire – sous le sceau de la confidentialité, bien sûr – mais comme c'est l'auteur qui me l'a envoyée, je n'en avais pas d'autre copie…

— Oh, fit Bill.

Jamais de sa vie il n'avait ressenti de honte aussi cuisante, même envers Lisa.

— C'est un signe du destin, en fait, soupira Kirkpatrick en souriant, tu ne devais pas la lire, un point c'est tout !

— Sans doute, oui. En tout cas, merci de ta confiance pour avoir envisagé de me la montrer.

Kirkpatrick demanda à Bill s'il avait faim et proposa d'aller préparer quelque chose. Quand tout fut prêt, une heure et demie plus tard, ils s'installèrent au bar, en toute simplicité : Dick avait fait des *calzoni* qui réjouirent à ce point les papilles de Bill qu'il crut sentir des larmes de joie lui monter aux yeux.

— Tu sais, dit Kirkpatrick dans le silence seulement troublé par les bruits de mastication, Carlucci est partante pour que je prenne un premier contact avec tes élèves demain. On me présentera, on parlera de mon bouquin et je leur proposerai cette histoire d'atelier d'écriture, pour voir si ça leur chante… Tu veux venir ?

Bill se dépêcha d'avaler sa bouchée avant de répondre.

— Ça me touche que tu me le proposes, dit-il, mais je suis en arrêt, je ne sais pas si ça serait bien vu…

Kirkpatrick esquissa un mouvement plein de mépris à l'adresse d'un ennemi imaginaire.

— C'est tout vu, dit-il, tu viens en tant qu'ami de l'auteur. C'est décidé.

Bill hocha la tête en guise de remerciement.

— Au fait, dit-il, comment tu as trouvé notre chère directrice ?

— Carlucci ? Elle est sympa. Un peu stressée, mais sympa. Elle n'a pas lu mon livre, je pense.

— Pourquoi tu dis ça ?

— Elle m'a dit qu'elle n'avait rien lu d'aussi beau depuis *L'Année de la pensée magique*.

— Effectivement, fit Bill avec une moue décontenancée.

— Je peux te poser une question ?

— Bien sûr.

Kirkpatrick prit une serviette et s'essuya la bouche et les mains avec une grâce presque féminine.

— Qu'est-ce que je fais ici au juste ?

— Comment ça ? demanda Bill.

Dick se déplaça sur son siège de bar de façon à se trouver bien en face de Bill.

— J'ai écrit des nouvelles qui n'ont eu aucun écho en dehors de la fac où je bossais, et mon roman vient à peine de sortir. Personne n'en parle. C'est un bouquin de suspense presque fantastique. Les seuls auteurs qui ont accepté d'en faire une petite critique sympa sont Stephen King et Gillian Flynn – et encore : seulement parce qu'ils ont déjà bossé avec mon éditeur qui vient juste de se mettre à son compte et qu'ils l'aiment bien. Pas vraiment des écrivains classiques, pas dans notre siècle, en tout cas. Explique-moi comment moi, primo-romancier de l'Oregon qui ambitionne de devenir populaire, j'ai pu éveiller l'intérêt de William Herrington, professeur de littérature à la Henry Cushing Academy dans l'État de New York ? Parce que là, quelque chose m'échappe.

La dernière bouchée de *calzone* fut difficile à avaler pour Bill. Il avait été particulièrement imprudent de ne pas se préparer à répondre à une question aussi évidente, et il était exclu qu'il lui serve le même discours qu'à cette chère Alan. Kirkpatrick ne marcherait pas.

— C'est à cause d'Alan, dit-il.

Kirkpatrick sembla ne pas comprendre.

— Alan ?

— Oui. La fille que tu as prise pour un mec pendant plusieurs jours.

— Ah oui! La gamine bien mignonne de l'autre fois. Et qu'est-ce qu'elle vient faire là-dedans?

— Je ne peux pas te raconter dans les détails, mais je le lui dois. Elle a adoré ton roman. Elle ne l'avait pas encore fini qu'elle en parlait avec des étoiles dans les yeux. C'est pour elle, vraiment.

Il adressa à Dick un sourire triste. Ce dernier resta songeur un moment avant de répondre.

— Et c'est pour quelle raison? Précisément?

Bill faillit s'enfoncer dans un début d'explication oiseuse quand il décida de s'en sortir par une pirouette.

— En fait, c'est assez confidentiel, dit-il avec un clin d'œil.

Kirkpatrick éclata de rire.

— OK! dit-il. J'ai pigé et je respecte : si c'est pour te la faire, alors tu as ma bénédiction et mes félicitations. Bravo, mec! Tu as vraiment mis le paquet!

— Non! s'exclama Bill. Ce n'est pas ce que tu crois…

Kirkpatrick l'interrompit d'un geste lui signifiant que le sujet était clos. Bill faillit revenir à la charge pour le détromper mais n'en fit rien car, en fin de compte, c'était tout ce qu'il souhaitait : passer à autre chose.

Kirkpatrick annonça qu'il était fatigué et commença à débarrasser les couverts lorsque Bill sentit son téléphone vibrer dans sa poche. Il vit qu'il était près de 21 h 15 et se rendit compte qu'il avait oublié d'appeler ses filles, comme tous les soirs : c'était sans doute Darlene qui lui avait envoyé un message pour demander s'il allait bien.

Il extirpa le téléphone de sa poche et rajusta maladroitement ses lunettes pour lire le SMS. Il ne venait pas de sa fille, mais du même numéro mystérieux qui lui avait fait perdre tous ses moyens lors de la soirée consacrée à la mémoire de Percy.

Alors, les fantômes du passé vous empêchent-ils de dormir ou non ?

Bill observa Kirkpatrick : les mains plongées dans l'eau de vaisselle, la lassitude et la fatigue se lisaient sur ses traits.

Pour la première fois, Bill décida de répondre.

Je finirai par découvrir qui vous êtes.

Il attendit. Il n'y eut pas de réponse.

XVII

Le lendemain, quand les deux hommes se rendirent dans une boutique du centre commercial le plus proche afin d'acheter une nouvelle tablette, Bill ressentit une terrible sueur froide après que Kirkpatrick eut expliqué au vendeur ses mésaventures.

— C'est drôle, dit ce dernier, c'est comme s'il avait pris la flotte ce que vous me décrivez. Dommage que vous ne me l'ayez pas apporté pour que je puisse jeter un œil.

Dommage, en effet, pensa Bill.

Dès que l'écrivain fut en possession de son nouveau jouet haute technologie, ils se mirent en route pour la Henry Cushing Academy. Lors du premier contact avec les étudiants, Kirkpatrick fit des miracles en dépit du faible nombre d'élèves présents.

— Ils n'ont été prévenus de votre intervention que tardivement, avait chuchoté Mme Carlucci à l'intention de Kirkpatrick comme pour s'excuser.

— C'est parfait, avait-il répondu, j'ai toujours préféré les petits comités.

Ce fut une réussite totale et l'enthousiasme des jeunes gens – et celui de Teresa – fut tel qu'il augurait un grand succès pour la conférence prévue dans les prochaines semaines.

Dans les jours qui suivirent cette première rencontre, Bill ne reçut plus aucun message de la part du numéro inconnu et, le temps passant, ses angoisses s'atténuèrent quelque peu.

Kirkpatrick et lui s'installèrent dans une routine de vieux garçons. L'écrivain était ravi de cette relation qu'il qualifia de « bromance fabuleuse ». Bill n'avait pas osé lui demander ce que cela signifiait.

Peu à peu, l'éloignement de Lisa prenait des allures de rupture. Même les filles semblaient s'en être accommodées et ne réclamaient plus avec autant de force un retour à la maison, et le domicile d'Olivia était situé plus près de l'école ainsi que du travail de Lisa.

Il y eut bien une tentative de rapprochement de la part de Darlene lorsque cette dernière avait décidé de rendre une visite-surprise à son père avec Sally, mais un malheureux hasard les avait conduites à la porte de la maison le jour où Alan quittait Bill avec force éclats de rire après une longue séance de travail. Elles furent déstabilisées de le trouver en si agréable compagnie alors qu'il se disait régulièrement déprimé par la vie sans ses petites femmes dès qu'il les avait au téléphone.

Leurs relations en furent refroidies et Darlene lui tint rigueur de sa duplicité : les appels quasi quotidiens qu'elle passait à son père s'espacèrent au point de devenir hebdomadaires — et encore, quand elle était de bonne humeur.

D'ailleurs, le surlendemain de cette visite impromptue, il reçut le premier — et probablement le dernier — coup de fil de Lisa en plusieurs semaines de séparation. La conversation fut brève et acrimonieuse. Elle voulait simplement s'assurer, dit-elle, que Bill était certain de ne pas s'adonner au détournement de mineure. Il eut à peine le temps de la détromper quant à la nature de sa relation avec Alan que Lisa avait déjà raccroché.

Cet échange houleux plongea Bill dans les abîmes du désespoir pour toute la journée qui suivit. Dans ces moments-là, il lui semblait que la situation n'était plus tenable et il envisageait de tout envoyer paître : Lisa, les filles, Kirkpatrick, Alan, le roman et le foutu corbeau qui en était l'inspirateur… Tout. Puis il se retirerait dans un chalet caché dans les montagnes pour y passer la fin de sa vie en n'ayant plus personne à qui mentir ni rien dissimuler — hormis lui-même.

Oui, mais il voulait savoir. Et c'est d'ailleurs cette soif de vérité quant à l'origine de cette grotesque comédie qui l'aidait à tenir.

En outre, il y avait Kirkpatrick — l'intrigant Kirkpatrick.

Par un tour de passe-passe miraculeux, l'écrivain avait eu sur Bill le même effet qu'un bain de jouvence. Il lui arrivait même d'en oublier la véritable raison de sa présence, sous son propre toit. Il n'y avait guère qu'avec Alan que le romancier travaillait sur leur prochaine conférence, et Bill se mêlait au minimum de leurs recherches.

C'est pourquoi, par un étrange effet de décontamination, il se prit à croire que son mystérieux harceleur avait baissé les bras : apparemment, personne n'avait reçu de nouveaux exemplaires du roman et Bill n'avait plus été la cible de messages menaçants. Avec un peu de chance, son bourreau était mort après avoir glissé sur le carrelage en sortant de la douche.

La mélancolie le gagnait parfois par surprise lorsqu'il pensait à Mary : il espérait sincèrement qu'elle était revenue auprès de son époux et allait bien. Mary, Lisa, Darlene, Sally et combien d'autres souffraient à cause de lui.

La conférence arrivait donc à grands pas sans que Bill ait à s'occuper de quoi que ce soit. D'après Kirkpatrick, Alan était une jeune fille brillante et faisait montre d'une maturité stupéfiante pour son âge.

Bill ne pouvait s'empêcher de s'agacer du lien qui se tissait de manière subtile et évidente entre son étudiante et le romancier, même s'il était bien incapable de dire clairement lequel des deux il jalousait, en fin de compte.

Il adorait les sorties qu'organisait pour lui Kirkpatrick.

Pour fêter la fin de la convalescence de Bill à qui on venait de retirer son plâtre, il avait conduit ce dernier à New York pour assister à une exécution de la Quatrième Symphonie de Bruckner par l'Orchestre philarmonique sous la direction de Rodrigo de Souza. Ce fut la première fois que Bill vit Dick habillé autrement que comme un clochard : il eut même du mal à le reconnaître.

Ce fut une soirée magnifique, et elle lui rappela les virées spontanées que lui et son groupe de Princeton improvisaient au temps de leur jeunesse éclatante.

À la fin du concert, Kirkpatrick remarqua une once de chagrin qui se mêlait à la joie évidente de Bill. Ce dernier refusa de lui donner la raison de ce brusque accès de spleen : il venait seulement de penser à Lisa, avec laquelle il aurait adoré partager ce moment. Le souvenir de Neal, lui aussi, vint assaillir son esprit : transporté vingt ans en arrière, il s'était réjoui à l'idée de lui raconter la soirée qu'il venait de passer avec le romancier. Neal avait une passion pour la musique classique, surtout les symphonies du XIXe siècle.

Afin de remédier à cette tristesse, Kirkpatrick décida d'emmener Bill dans un établissement branché qu'il appréciait entre tous.

— Et en plus, c'est très décontracté, précisa-t-il, même s'il arrive que quelques types se mettent sur la gueule de temps en temps.

Bill argua que ce genre d'établissement n'était plus de son âge et qu'il risquait d'avoir l'air ridicule. Kirkpatrick lui répondit qu'il lui était déjà arrivé de croiser là-bas de sympathiques octogénaires – y compris Iris Apfel – et que Bill n'avait de toute façon pas le choix.

Quand ils arrivèrent sur place, ce fut une explosion de musique incomparable à celle de Bruckner, des éclats stroboscopiques hallucinants, et des rires, et un délicieux parfum de débauche. Bill n'avait jamais rien connu de tel.

Il passa la majeure partie de la soirée à danser avec une jeune femme blonde et décomplexée prénommée Pixie. Après deux ou trois verres dans lesquels on avait sans doute versé des additifs censés rendre la fête plus intense, Bill ne se souvint de presque rien de ce qui arriva.

Il se réveilla aux urgences quelques heures plus tard. À sa grande surprise, son bras droit était à nouveau plâtré.

À son chevet se trouvait un Kirkpatrick hilare. Il lui expliqua que Pixie et lui avaient énormément sympathisé et que les choses auraient certainement suivi leur chemin naturel sans l'arrivée inopinée du fiancé de la jeune fille, une armoire à glace dont la capacité au dialogue semblait des plus réduites. Il avait demandé à Bill – qu'il appela affectueusement *grand-père* pour l'occasion – d'ôter « ses sales pattes des nichons de sa copine », à quoi Bill avait répondu qu'il faisait ce qui lui chantait, tant que Pixie était consentante. Par provocation, il avait alors embrassé à pleine bouche la jeune fille sous le regard atterré de son compagnon. Ce dernier l'avait saisi par le col, mais grand-père était décidé à jouer la provocation jusqu'au bout en le repoussant avec la main droite.

— Quoi ? Qu'est-ce que tu vas faire, Caliban ? Me recasser le bras ?

Il n'eut pas besoin de le lui proposer deux fois.

Lorsque Teresa Carlucci apprit que Bill avait un autre arrêt de travail, et cela pour le même motif que le précédent, elle crut d'abord à une mauvaise blague mais ne demanda aucun détail sur les circonstances de ce nouvel accident – après tout, son établissement était en partie responsable de la première chute de Bill.

Ce dernier prit les choses avec beaucoup de philosophie : il prenait goût à l'oisiveté snob et festive en compagnie de Kirkpatrick, et quand celui-ci travaillait à son second livre, Bill se plongeait dans la lecture des romans populaires que lui conseillait Alan.

Dans l'immense majorité des cas, il détesta ces prétendus écrivains qui faisaient la course en tête dans la liste des meilleures ventes. Il abhorrait Harlan Coben et John Grisham. Vraiment, des gens sans scrupule éditaient ça ?

Ce qui le fascina, en revanche, ce fut l'œuvre de Stephen King. Il aima à tel point *Misery* qu'il commanda les œuvres complètes du Maître sur internet.

Un jour qu'il déjeunait avec Kirkpatrick, celui-ci aborda la question des ouvrages que Bill ferait figurer au programme de ses élèves.

— L'an prochain, répondit Bill, je les ferai travailler sur *L'Auteur de « Beltraffio »* au premier semestre, et sur *Sac d'os* au second.

Kirkpatrick crut à une plaisanterie, mais, face au sérieux affiché par Bill, il déclara que celui-ci avait fait de considérables progrès en matière de goûts littéraires.

XVIII

Une irrésistible atmosphère de régression estudiantine conduisit donc Bill et Kirkpatrick au jour fatidique de la conférence. Quand ils arrivèrent à l'école, Teresa Carlucci observa avec curiosité le nouveau plâtre de Bill mais s'abstint de tout commentaire ironique. Elle le salua même avec une chaleur étonnante. Cependant, c'était Kirkpatrick qui captait toute son attention. Elle était Hérodiade et lui Salomé en pleine danse des sept voiles.

Ils discutèrent quelques instants de tout et de rien – surtout de rien – puis ils se rendirent dans le mini-amphithéâtre qui servait de salle de conférences à l'Academy. La salle était pleine à craquer et bruissait d'une rumeur impatiente.

Alan les y attendait devant cette foule bourdonnante.

L'écrivain la salua puis la considéra d'un œil amusé lorsqu'elle s'approcha de Bill pour lui demander s'il allait bien. Kirkpatrick n'en démordait pas : le professeur avait le béguin pour elle et il ne perdait pas une occasion de le lui faire remarquer. Bill fut gêné par le regard moqueur qui pesait sur lui mais il prit le temps de répondre à l'étudiante que tout allait bien, après quoi il rejoignit le public : il estimait que sa place n'était pas sur scène – Victor Matthew, le collègue qui le remplaçait, n'avait que peu d'estime pour lui et aurait pris ombrage de sa présence à ses côtés. Il s'installa donc au premier rang et attendit.

Après quelques mots d'introduction élogieux – beaucoup trop élogieux –, Teresa Carlucci demanda à l'assistance d'applaudir chaleureusement celui sans qui la présence de Richard Kirkpatrick n'aurait pas été possible : le professeur William Herrington.

Les nombreux étudiants présents eurent la gentillesse d'acclamer Bill qui, pour la peine, s'était levé pour remercier la foule avec une maladresse touchante.

Alan prit ensuite la parole avec une aisance qui stupéfia Bill : cette petite avait décidément du potentiel. Elle retraça la carrière de Kirkpatrick à grands traits avant de consacrer l'essentiel de son exposé au roman. Elle arriva à en décrire les principaux enjeux sans déflorer l'intrigue.

Elle parla des thématiques qui, d'après elle, demeuraient les plus importantes du livre : la mécanique du groupe qui incite l'individu à agir autrement que s'il s'était trouvé seul dans une situation délicate ; la poétique des lieux et leur influence sur nos actes ; le poids de la culpabilité et la paranoïa qui nous font croire que l'ennemi est partout présent dans notre entourage alors que nous devrions tous garder à l'esprit que le suspect principal, c'est nous-même. Elle mit aussi en avant l'habileté dont le romancier avait fait preuve en ne décrivant jamais le crime et en laissant au lecteur tout le loisir de l'imaginer – si ce crime avait bien eu lieu. Elle cita aussi Henry James et adressa un demi-sourire à son professeur qui fut touché par cette référence.

Bill fut bluffé : il n'aurait pas fait mieux. Et il commençait à se demander si, avec Kirkpatrick, il n'avait pas affaire, en fin de compte, à un authentique écrivain. Il remarqua que même Mme Carlucci buvait les paroles de la jeune fille avec une attention éblouie.

Quand Alan eut terminé, les élèves l'applaudirent spontanément : elle avait réussi à éveiller leur intérêt et Bill devina que nombre d'entre eux achèteraient un exemplaire du roman de Kirkpatrick.

Il avait noté que Dick avait gardé les yeux baissés devant lui tout au long de l'intervention d'Alan. Comme s'il était gêné par cette litanie de remarques positives qui haussait son roman au rang des œuvres littéraires véritables.

Teresa Carlucci remercia Alan pour son excellente présentation et passa la parole à Kirkpatrick.

— Waouh, dit-il, moi qui pensais n'avoir écrit qu'un roman…

Un rire frais parcourut l'assistance.

— C'est toujours un peu délicat de prendre la parole en tant qu'auteur après une pareille entrée en matière, dit-il, et je tiens à remercier Alan, vraiment, pour toutes les choses qu'elle vient de dire.

Il fit une pause et prit le temps de se tourner vers Alan pour renouveler ses remerciements d'une façon plus personnelle. Le visage de la jeune fille rougit à cette occasion. Kirkpatrick reprit ensuite la parole.

— En tout cas, j'adorerais rencontrer le mec qui a écrit ce bouquin parce qu'il semble foutrement intéressant !

L'éclat de rire fut cette fois général et Bill fut étonné de voir Teresa s'esclaffer, elle qui était d'ordinaire si collet monté.

Le reste de l'intervention fut à l'avenant : l'écrivain était aussi à l'aise à l'oral qu'à l'écrit et avait rapidement conquis son public. Il évoqua le travail de l'écrivain qu'il plaçait sous le sceau de la rigueur plus que de l'inspiration divine. Il parla aussi de ces nombreux moments de doute qui assaillent tout aspirant romancier ; c'était là une manière habile d'en venir au sujet qui lui tenait à cœur : l'atelier d'écriture. Lorsqu'il déclara avec le plus grand sérieux que plusieurs des étudiants qui s'étaient joints à cet atelier avaient un réel potentiel d'écrivain, Bill repéra plusieurs visages qui rosirent de bonheur dans l'assistance.

Après cela, il fut bien moins attentif à la suite de la conférence : même si la vie aux côtés du romancier avait quelque chose de délicieux, Bill était conscient que cela ne durerait pas, et surtout, il était convaincu que quelqu'un l'épiait, prêt à sortir de l'ombre.

Cela faisait longtemps qu'il n'avait plus reçu de messages du mystérieux numéro de téléphone inconnu, et, s'il en avait été rassuré dans un premier temps, ce silence lui faisait désormais craindre une intervention spectaculaire le jour de la conférence de Kirkpatrick. Sa paranoïa atteignit des sommets au cours de cette journée. Il scruta nombre de visages familiers, détendus et innocents, se posa plusieurs fois la question : « Et si c'était lui ? Ou bien elle ? » Même l'inoffensive Teresa Carlucci eut droit à son quart d'heure de suspicion.

Son regard furetait dans l'assistance, et il sortait toutes les cinq minutes son téléphone de sa poche parce qu'il avait toujours l'impression que celui-ci vibrait pour lui annoncer sa mise à mort, publique et imminente. Il avait même feuilleté les exemplaires du roman disposés sur une table pour la séance de dédicaces afin de s'assurer qu'on n'avait rien glissé de compromettant à l'intérieur le concernant. Dieu merci, aucun des livres ne portait la mention « Au bon souvenir de Bill Herrington, professeur et criminel ».

« Méfie-toi, mon vieux Bill, pensa-t-il, c'est quand tu t'y attendras le moins que le bras de la vengeance te frappera, comme dans les meilleures tragédies grecques. »

Mais il n'y eut rien. Et le professeur Herrington passa les heures qui suivirent dans cette foule d'étudiants attentifs seul avec son angoisse et son secret.

Le reste de la journée se déroula dans une ambiance joyeuse et bon enfant. L'interaction entre Kirkpatrick et son public fonctionnait à plein. Sans qu'on s'en rendît compte, l'après-midi touchait à sa fin et le moment des dédicaces arriva, suivi du buffet organisé en l'honneur du romancier.

Petits-fours, champagne, et tout un tas d'autres mets plus appétissants les uns que les autres. Les gens étaient heureux et ne vivaient plus que dans cet instant artistique, le regard rivé sur Kirkpatrick.

Tous, sauf Bill.

Il jurait dans ce paysage comme une toile de Soulages égarée dans une exposition consacrée à Botero.

Sa terreur à l'idée de voir la vérité mise en lumière l'avait épuisé, certes, mais une fois cette tension retombée, il éprouva une mélancolie qui n'avait rien à voir avec le livre de Kirkpatrick – en tout cas, pas avec son contenu. Cela avait un rapport avec la place qu'occupait Bill dans cette pièce, et celle où il se trouvait une vingtaine de minutes auparavant : au pied de l'estrade, en tant que simple spectateur. Tant de fois il avait caressé le rêve d'être ainsi au centre de toutes les attentions pour ses propres publications romanesques. Pourtant, il avait toujours reculé devant l'obstacle et l'écriture en était restée au statut de fantasme. Il s'était persuadé qu'il était impossible d'écrire avec ce qui s'était produit, des années auparavant, à Mohegan Island. D'une manière ou d'une autre, tout lui exploserait en pleine figure s'il prenait le risque de devenir un personnage public.

266

Le cœur et l'esprit rongés par cette ancienne amertume, Bill prit le parti de s'éclipser en toute discrétion. Il venait juste de quitter la pièce lorsqu'une voix l'interpella.

— Monsieur Herrington ! Attendez !

C'était Alan.

— Vous partez déjà ? reprit-elle.

— Oui, c'est... Je ne me sens pas très bien, bafouilla-t-il.

— Et vous allez rentrer chez vous à pied ? s'exclama-t-elle. Laissez-moi vous reconduire !

— Oh, je vous remercie, mon petit, mais je ne voudrais pas vous priver de la soirée...

— Vous plaisantez ? Ça ne fait que commencer : j'ai largement le temps de revenir après vous avoir déposé. J'insiste.

Bill rendit les armes avec un sourire amusé et attendit Alan qui était partie récupérer son sac et son manteau.

Le retour se fit dans un silence relatif. Bill broyait du noir et Alan semblait n'avoir pas vraiment quitté la réception : il voyait à son attitude absente qu'elle pensait encore à Kirkpatrick et aux nombreuses questions qu'elle brûlait de lui poser.

Une fois arrivés devant la maison de Bill, Alan lui conseilla de se reposer et le remercia : après tout, c'était à lui qu'elle devait de vivre cette formidable expérience.

Elle ne descendit pas de la voiture et fit un petit signe rapide de la main à Bill quand elle redémarra.

Une nouvelle fois il se retrouvait seul : il ne savait même pas si Kirkpatrick allait rentrer cette nuit ou s'adonner dans quelque lieu interlope à des activités peu orthodoxes. Étrangement, cette perspective n'éveilla pas en lui l'habituelle bouffée d'angoisse qu'il ressentait dans cette situation. Peut-être était-il trop déprimé pour ça.

Il rentra et, même s'il n'était pas 20 heures, il se mit au lit sans manger. À peine avait-il bu un verre d'eau avant de sombrer dans le sommeil en un temps record.

XIX

Quelque chose réveilla Bill en sursaut, un bruit qu'il ne parvint d'abord pas à identifier. Il se demanda s'il n'avait pas rêvé et le pic d'énergie qu'avait fait naître en lui la surprise commençait à se dissiper quand un autre bruit, comme un coup porté contre un mur, résonna dans la pièce. Désormais complètement réveillé, Bill tendit l'oreille. Dans le silence de la nuit, il percevait un autre son : des gémissements. Alors seulement, il comprit que Kirkpatrick était rentré et qu'il avait sûrement de la compagnie.

Bill jeta un œil à son réveil : il était 2 heures du matin. Il sut immédiatement qu'il ne pourrait plus trouver le sommeil et se rallongea. Il contemplait le plafond pendant que le lit de la chambre d'ami continuait à buter contre le mur à intervalles irréguliers ponctués de temps à autre de petits cris qu'une femme tentait en vain de contenir.

C'était très embarrassant, cette situation. Aucun des précédents occupants de cette chambre n'y avait jamais eu de relations sexuelles – ou bien ils avaient fait montre d'une plus grande discrétion.

Au bout d'une dizaine de minutes, les ébats prirent fin et Bill retomba doucement dans le sommeil grâce au calme retrouvé de la nuit. Il n'y resta pas long-temps : une brusque envie d'aller aux toilettes tortu-rait sa vessie ; il se leva pour sortir en faisant le moins de bruit possible.

Une fois debout, une pensée s'imposa à son esprit, qu'il avait pourtant tout fait pour maintenir loin de lui : c'était Alan, bien sûr, qui se trouvait dans la chambre d'ami, et sa peau douce et nue était désor-mais tout contre le corps blanc et malingre de Kirk-patrick. Il en eut un pincement au cœur. Il pensa à l'objet étrange trouvé dans le sac de l'écrivain avec des préservatifs et eut une vision d'horreur : jamais plus il ne pourrait poser le même regard sur l'étu-diante.

Après s'être soulagé, Bill descendit au rez-de-chaussée pour se préparer un encas : sa diète de la veille commençait à se faire sentir. Mais quand il fut sur le seuil de la cuisine, il remarqua une silhouette plongée dans son réfrigérateur et, au lieu de rebrous-ser chemin comme il aurait voulu le faire afin de ne mettre personne dans l'embarras, son bras poursui-vit la route qu'il avait entamée jusqu'à l'interrupteur mural et le plafonnier s'illumina.

Teresa Carlucci poussa un petit cri effrayé en se tournant brusquement vers Bill. Elle ne portait qu'une nuisette en soie mauve usée et Bill remarqua que, pour une femme de presque 60 ans, elle avait encore de très belles jambes.

Une fois passé son mouvement de panique, Teresa gloussa comme une jeune fille prise en flagrant délit amoureux. Tout dans son attitude trahissait une malice que Bill ne lui connaissait pas. Il en fut sidéré.

— Oh, William, c'est vous ! dit-elle avec un sourire empourpré.

— Je suis désolé, Teresa, je ne voulais vraiment pas vous faire peur… Je… Je venais juste manger un morceau : j'étais souffrant hier soir et je suis allé au lit directement en rentrant.

Teresa Carlucci hocha vivement la tête.

— Oui, William, je suis au courant. Alan m'a tout dit hier soir.

— Je ne savais pas qu'il y avait quelqu'un à la maison, mentit Bill, pour être honnête, je pensais même que Dick passerait la nuit ailleurs.

L'idée de ne pas avoir été trop bruyante rassura visiblement la directrice. Elle en soupira presque de soulagement.

— Eh bien, non, William, dit-elle, je suis rentrée avec lui : j'ignorais que vous étiez en colocation tous les deux. Ça doit vous rappeler vos années d'études à Princeton, tout ça !

— Vous n'imaginez même pas…

Ils restèrent quelques secondes l'un en face de l'autre sans rien trouver à dire. Bill se sentait comme un étranger dans sa propre maison.

— Je… Je voulais seulement boire quelque chose d'un peu sucré, reprit enfin Teresa, je fais de l'hypoglycémie et tout ça m'a…

Elle n'acheva pas sa phrase. Bill vit dans ses yeux qu'elle venait juste de comprendre qu'il n'était pas convenable de dire que sa récente partie de jambes en l'air l'avait mise sur les rotules.

— J'ai du Coca, si vous voulez, dit-il.

Il passa près d'elle pour prendre lui-même la bouteille dans le frigo et frôla involontairement le bout du sein droit de sa directrice qui pointait sous le tissu fin. Comme il aurait été inconvenant de le faire remarquer, il s'abstint de lui présenter ses excuses.

Pendant que Teresa buvait son Coca, Bill sortit tout ce dont il avait besoin pour se rassasier. Il était presque heureux d'être descendu en caleçon et tee-shirt : au moins était-il à égalité avec Mme Carlucci en matière de code vestimentaire.

Cette dernière s'apprêtait à quitter la cuisine sans rien ajouter quand elle fit volte-face. Elle observa Bill, sans sourire cette fois-ci.

— Je suppose que je peux compter sur votre discrétion, dit-elle de sa voix habituelle de directrice à la fois compétente et anxieuse.

Ce brusque regain de solennité fit presque oublier à Bill qu'ils étaient tous les deux en petite tenue.

— Naturellement, Teresa, répondit-il, ça va de soi.

— Je vous remercie, dit-elle avec un sourire reconnaissant, vous savez, ça n'a pas toujours été simple avec Ronald…

— Ronald? répéta Bill mécaniquement.

— C'est mon mari : vous n'avez pas eu l'occasion de le rencontrer, il se déplace constamment pour son travail. Même quand j'ai eu ma première fausse couche, il n'était pas là...

C'était éloquent : Bill ignorait qu'il existait un M. Carlucci. Maintenant qu'il y pensait, il n'avait jamais vu aucune photo de famille dans le bureau de la directrice, aucun dessin d'enfant, pas de diplôme de la meilleure des mamans – ou des grands-mères. Elle avait érigé une muraille entre sa vie professionnelle et sa vie privée, et cette nuit, pour une folie passagère, elle avait fait une exception.

— Je ne sais pas si Ron s'est jamais senti aussi seul que moi, mais ce soir j'en ai eu ma claque et j'ai sauté sur l'occasion.

Elle haussa les épaules comme pour s'excuser de la pauvreté de ses arguments. Bill ne dit rien : à quoi cela aurait-il servi?

Teresa n'ajouta pas un mot, elle non plus. Elle se retira et monta l'escalier à pas légers.

Quelques minutes plus tard, alors que Bill finissait le sandwich qu'il s'était préparé, Mme Carlucci réapparut sur le seuil de la cuisine. Elle était habillée désormais et recoiffée. Bill reconnut la femme avec laquelle il travaillait depuis des années.

— Il s'est endormi, dit-elle à voix basse, je pense qu'il est plus raisonnable de rentrer chez moi.

Bill approuva d'un signe de tête.

— À bientôt, Teresa, dit-il.

— À bientôt, Bill. Prenez soin de vous.

Elle partit. C'était la première fois qu'elle l'appelait Bill.

Il resta de longues minutes assis dans la cuisine, attentif aux mille et un bruits de la nuit. Puis Kirkpatrick arriva. Toujours vêtu de son seul caleçon, les cheveux libérés : il semblait épuisé.

— Teresa est partie, je suppose ? dit-il en prenant place en face de Bill.

— Tu supposes bien, répondit ce dernier, mais je n'aurais jamais cru que tu avais un goût pour les femmes mûres…

— Pas particulièrement. Je marche surtout au feeling, en fait. Et puis Teresa est une belle femme.

— Avant de la voir en nuisette, je ne l'avais jamais remarqué…

— Une fois, j'ai passé la nuit avec un type qui était persuadé que je m'étais tapé sa femme. Elle bossait à la bibliothèque de la fac. C'était un mec banal, assez transparent, même. Et va savoir pourquoi, en discutant, on a fini au pieu. Ce n'est qu'après avoir fait l'amour avec lui que j'ai vu combien il était beau.

— Je croyais que les mecs, c'était pas ton truc.

— Je t'ai dit que j'avais essayé de me mettre en ménage avec un mec une fois. Coucher avec, c'est autre chose…

— Alors tu aurais pu coucher avec n'importe lequel des membres de ton public, hier. Ils étaient tous subjugués.

— Peut-être, oui…

— Et c'est Teresa qui y est passée.

— Elle en avait très envie, tu sais. Et maintenant, elle va m'éviter poliment tout le temps que mon séjour auprès de vous va durer.

Bill détailla Kirkpatrick du regard sans aucune gêne, comme il l'aurait fait avec une femme très séduisante.

— Je suis sûr que tu te demandes comment je fais, dit Kirkpatrick.

Bill faillit jouer l'innocent puis décida d'être honnête.

— Un peu, oui…

Kirkpatrick sourit en baissant les yeux.

— En fait, pas vraiment, corrigea Bill, je comprends pourquoi les gens sont attirés par toi : tu dégages quelque chose mais ça ne tient pas à ton physique, peut-être même pas à ton intelligence.

Ils s'observèrent de longues secondes en silence puis Kirkpatrick se leva lentement.

— Je sais pas toi, dit-il, mais j'ai plus tellement sommeil…

— À vrai dire, moi non plus…

Kirkpatrick se dirigea vers les placards et les ouvrit un à un.

— Qu'est-ce que tu fais? demanda Bill.

— Je cherche où tu planques tes bouteilles…

— Tu veux picoler? À cette heure-ci?

— Parce qu'il y a une heure à laquelle c'est moins dangereux?

Bill ne trouva rien à répondre. De plus, l'idée de boire un peu avec quelqu'un d'autre ne lui déplaisait pas, surtout après les jours passés à enchaîner les verres de tequila tout seul.

Il pensa à Lisa. Depuis quand n'avait-il pas partagé un moment d'ivresse avec elle, et combien de temps s'était écoulé sans qu'il lui adresse la parole ?

— Ah ! s'exclama Kirkpatrick. Nous y voilà !

Il brandissait fièrement une bouteille de vodka inentamée, tel un trophée.

— Allez, viens ! dit-il à Bill. On sera mieux au salon pour ça.

Bill obtempéra et ils se trouvèrent côte à côte sur le canapé. Même lorsqu'il était étudiant, Bill ne s'était jamais retrouvé dans une tenue aussi légère et débraillée avec un autre homme – que ce soit avec Neal, Sam ou Joe.

Dick lui servit un verre, en prit un aussi, et ils trinquèrent.

Bill venait de manger, heureusement, car dans le cas contraire il n'aurait pas supporté. En revanche, Kirkpatrick semblait très bien tenir l'alcool tout en étant à jeun.

— Nom de Dieu ! dit ce dernier. Ça rafraîchit.

— Dommage que je n'aie pas de mezcal en stock, dit Bill, parce qu'avec la larve qui gît au fond, tu aurais eu ta dose de protéines…

Kirkpatrick, l'air intrigué, lui jeta un coup d'œil puis éclata de rire avant de leur servir un deuxième verre.

Au bout de plusieurs vodkas ingurgitées en silence, les deux hommes commencèrent à parler de tout et de rien. La conversation s'orienta ensuite vers la littérature. Ils récitèrent des poèmes de Keats, Longfellow, Philip Larkin. Ils finirent avec Bukowski et Kirkpatrick déclama finalement des sonnets de Shakespeare.

— Je ne pensais pas qu'on pouvait se souvenir d'autant de trucs en étant bourré, dit Bill d'une voix pâteuse.

— Justement, comme on est bourrés tous les deux, on peut pas être vraiment sûrs de ne pas raconter que des conneries.

Ils se mirent aussitôt à rire comme des imbéciles.

Kirkpatrick se calma et regarda tout autour d'eux avant de faire part à Bill de son étonnement : c'était là une bien grande maison pour un homme qui vivait seul. Bill le détrompa en lui rappelant qu'il était marié et père comblé de deux filles épatantes.

— Tu ne me l'as jamais dit ! s'offusqua l'écrivain.

— J'en ai pas eu l'occasion : tu n'as fait que parler, parler, et encore parler de toi depuis que tu es là.

Kirkpatrick fit amende honorable et pria Bill de lui confier ce qui clochait dans sa vie.

— Je te demande ça, dit-il, parce que je vois tant de tristesse dans tes yeux que parfois j'ai envie de te prendre dans mes bras pour te consoler…

— Ça c'est gentil, répondit Bill.

Il lui brossa donc rapidement le tableau de sa situation actuelle : sa femme partie avec leurs deux filles, son beau-frère récemment décédé qui laissait derrière lui un orphelin, etc. L'alcool aidant, Kirk-patrick versa une larme.

Les malheurs de Bill les avaient partiellement dégrisés.

Les deux hommes respectèrent un silence ému puis Bill fit remarquer que ce genre d'histoire devait être monnaie courante dans les ateliers d'écriture tels que celui de Kirkpatrick.

— Tu n'imagines même pas ! s'exclama ce dernier en guise de réponse. Tolstoï n'avait pas tort de dire que c'est dans le malheur des familles qu'il y a le plus d'originalité… Et pourtant, même si nos vies sont riches de malheurs divers et variés, c'est toujours un élément et un seul qui nous motive. C'est le fameux *motif dans le tapis*…

Bill sourit à cette référence.

— Et donc ? demanda-t-il. Ce serait quoi, ton motif, monsieur l'Écrivain ?

— En principe, ça ne se révèle pas, répondit Kirk-patrick avec un clin d'œil, et on ne peut jamais être sûr de se connaître suffisamment pour répondre à cette question. La mort de mon frère, peut-être… Et toi ? Tu es prof de littérature dans un établissement assez prestigieux, tu dois avoir fait tes études dans une université de premier plan… Je suis certain que tu griffonnes de temps à autre, je me trompe ?

— Pas vraiment. Du moins, je n'ai jamais mené aucun projet à son terme.

— Pas de motif, donc ?

— Peut-être pas, non.

Un ange passa.

— Tu m'as dit beaucoup de choses, reprit Kirkpatrick, mais pas pourquoi ta femme est partie…

— Je ne peux pas te le dire, soupira Bill.

— *Me* le dire ? répéta l'autre en écho.

— Pas spécialement à toi, non… En fait, je ne
peux le dire à personne en général…

— Allez, tu peux me raconter : on est entre potes
et je peux t'assurer que je suis une tombe…

— Non, vraiment, non.

Bill sentait que le charme qui planait sur cette
ivresse nocturne partagée s'évaporait lentement. Il
avait l'impression d'être prisonnier dans des vêtements trop serrés. La conversation touchait désormais
le cœur du problème et Kirkpatrick ne comprenait
pas pourquoi son ami tournait ainsi autour du pot.
La hargne et le désespoir montaient en Bill : il savait
qu'il risquait d'exploser si Dick s'obstinait à le ques-
tionner.

Ce qui arriva.

— Allez, quoi, Bill ! Sois pas…

— Je te dis que non, putain de merde ! hurla-t-il.

Kirkpatrick eut un mouvement de recul effrayé.

Bill sentit que sa bouche se tordait et que sa vue se
brouillait, puis les sanglots éclatèrent malgré lui. Tout
se mélangeait dans sa tête : ce putain de roman qui
le hantait, qui le harcelait, qui s'apprêtait à donner
gloire et fortune à un petit crétin qui n'avait qu'à
cligner de l'œil pour mettre qui il désirait dans son
lit et pour une seule nuit. Un type à qui, en temps

ordinaire, il n'aurait pas même accordé un regard tant il lui rappelait son beau-frère minable par certains côtés, mais qui lui rappelait Neal aussi. Neal surtout. Neal qui lui manquait plus que tout en cet instant. Neal à qui il voulait parler immédiatement alors qu'il savait que ce n'était pas possible. Que plus jamais ça ne le serait et qu'il n'avait à portée de main que Kirk-patrick, ce double déformé de Neal qu'il soupçonnait d'être un imposteur. Oui mais un imposteur qu'il appréciait, et dans lequel il entrevoyait la possibilité d'une amitié dont il avait tellement besoin, une de celles comme il n'en avait pas connue depuis plus de vingt ans, depuis ce jour sur Mohegan Island où une partie de lui, la meilleure sans doute, était comme morte et enterrée avec deux inconnus qui n'avaient rien demandé à personne.

Une longue plainte continue s'échappait de la gorge de Bill, comme un flux de douleur trop long-temps contenue.

Kirkpatrick s'approcha de lui et tapota affectueu-sement son épaule.

— Ça va aller, mon vieux, dit-il doucement, pleure un bon coup… C'est pour ça que les mecs picolent : pour se laisser aller à chialer avec l'espoir de se souvenir de rien le lendemain matin.

Bill eut un triste rire entre deux hoquets lar-moyants.

— Je m'en souviendrai, dit-il tout bas, toutes les saloperies qui me bouffent la tête partiront jamais, même avec des tonneaux de vodka…

Il se laissa aller contre l'épaule de Kirkpatrick et continua à pleurer comme un enfant.

— Jamais plus rien ne sera comme avant, gémit-il, je vais finir seul dans cette baraque, tout seul…

— Allons donc, je suis là, moi, pour le moment…

Bill se redressa. Il avait l'impression d'aller un peu mieux. Il adressa un sourire reconnaissant à Kirkpatrick.

— C'est gentil, Neal : je ne sais pas ce que j'aurais fait si tu n'avais pas été là ces derniers temps.

Cette phrase eut un effet radical sur Kirkpatrick. Il se figea et s'écarta de Bill.

— Neal ? murmura-t-il.

Bill sentit que quelque chose s'était produit en Dick. Quelque chose d'assez fort pour le saisir de stupeur.

— Excuse-moi, dit-il, j'ai trop bu…

— Je sais, dit Kirkpatrick dans un rire forcé avant d'afficher une grimace de perplexité, mais… Neal ? Tu m'as appelé Neal ?

Bill hocha la tête. Malgré la brume d'alcool qui lui enserrait le cerveau, il tenta de se concentrer.

— Neal était un de mes meilleurs amis, dit-il, il y a plus de vingt ans. Il est mort à présent, et tu me le rappelles de bien des façons…

Kirkpatrick se leva non sans difficulté : la tête devait lui tourner. Il prit son visage entre ses mains.

— C'est quand même bizarre, dit-il, cette coïncidence…

Il ne parvenait pas à détacher son regard de Bill. Il l'observait comme s'il était une énigme vivante indéchiffrable.

— Quoi ? dit Bill qui sentait monter l'inquiétude en lui. Qu'est-ce que c'est que cette histoire de coïncidence ?

Kirkpatrick décida de se rasseoir, mais cette fois-ci dans un fauteuil.

— Tu sais, dit-il, je t'ai parlé d'une nouvelle qui a servi de base à mon bouquin…

— Oui, fit Bill avec une certaine méfiance.

— Eh bien, dans cette nouvelle, il y a deux gars en plus d'une fille. Et leurs prénoms, c'est Neal et Bill.

Bill tenta de garder son sang-froid.

— Et après ? dit-il. Ce sont des prénoms très courants.

— C'est pas seulement ça, fit Kirkpatrick, parce que dans cette nouvelle, les trois jeunes se prennent une sacrée cuite. Ils ont apporté du mezcal avec eux et le personnage qui s'appelle Bill déclare qu'il préfère ça à la tequila parce qu'au moins avec le mezcal…

— … avec la larve qui gît au fond, on a sa dose de protéines, termina Bill.

Ils se regardèrent un moment comme s'ils ne s'étaient jamais rencontrés auparavant.

— Tu peux m'expliquer la coïncidence ? demanda Kirkpatrick.

— Qui a écrit cette nouvelle ? demanda Bill sans répondre.

Kirkpatrick soupira. Bill avait l'impression qu'ils formaient un vieux couple et qu'il venait juste de remettre sur le tapis un sujet sensible mille fois débattu.

— Je t'ai déjà dit que…

— Je t'en prie, Dick, je pense qu'on a dépassé ça depuis un moment.

— Je ne *peux* pas te donner son nom pour la bonne raison qu'elle ne me l'a pas révélé !

— Comment ça, elle ? C'est une femme ?

— Oui : c'était une élève qui n'était pas inscrite à l'université de l'Oregon, elle assistait à mon cours en partie par correspondance et elle est venue quelques fois. Elle utilisait un nom d'emprunt parce que le sien est déjà connu du public, apparemment…

Quelque chose dans l'esprit de Bill commençait à se dessiner, et il n'aimait pas ça.

— Et tu ne sais vraiment rien d'autre sur son compte ?

— Deux ou trois, oui, mais rien de précis : elle m'a expliqué qu'elle voulait apprendre à maîtriser l'art de la narration pour continuer à écrire toute seule les romans graphiques qu'elle publiait avec son mari. Il est atteint d'une maladie neurodégénérative et il n'est plus capable d'inventer une histoire et de la mener à bien.

Bill poussa un profond soupir. Tout s'expliquait désormais : Mary s'était inspirée de ce qui leur était arrivé sur Mohegan Island pour un devoir demandé par Kirkpatrick et les événements s'étaient succédé avec une régularité implacable. Ce qui le chiffonnait, c'était la connaissance qu'elle avait de tous les faits : Neal et lui avaient pourtant tout mis en œuvre pour lui dissimuler ce qui s'était produit dans les bois de l'île.

Kirkpatrick vint s'asseoir à côté de Bill.

— C'était vrai, alors, ce qu'il y avait dans sa nouvelle ? demanda-t-il.

— Ça dépend de ce qu'elle a écrit, mais oui, il y a des chances…

Kirkpatrick se rejeta en arrière, mains jointes au-dessus du crâne.

— Qu'est-ce que vous avez bien pu foutre sur cette île pour que ça te bouleverse à ce point ? dit-il. Il y a vraiment eu un mort, alors ?

— C'était une connerie de jeunesse, répondit Bill, une connerie qui a eu des conséquences tragiques…

— Tu pourrais préciser ?

— Pas encore…

Kirkpatrick se releva, visiblement irrité.

— Je te jure que je te dirai tout, ajouta Bill d'un ton suppliant, mais il faut d'abord que je retrouve Mary…

— Mary…, répéta Dick, c'est le prénom qu'elle m'avait donné, oui…

Dehors, l'aube grisâtre contaminait le bleu sombre de la nuit. D'ici peu la vie reprendrait son cours et les rues s'animeraient à nouveau.

— Qu'est-ce qui t'a touché à ce point dans cette nouvelle pour que tu veuilles en faire un roman? demanda Bill.

Kirkpatrick se gratta nerveusement la joue en regardant droit devant lui.

— En fait, répondit-il, j'avais demandé aux étudiants d'écrire une nouvelle au centre de laquelle chacun d'eux se trouvait face à un événement discordant, une chose en apparence anodine mais dont les conséquences pouvaient se faire sentir des années après. Le texte de Mary était très beau et très mystérieux. Un texte à la première personne. Elle décrivait l'amour qu'elle éprouvait pour un dénommé Bill, un gars qui sortait déjà avec sa meilleure amie. Un soir, après leur remise de diplômes, ils font une excursion sur une île, Mohegan Island. Ils picolent, fument de l'herbe et à un moment, Mary et Bill arrivent à s'éclipser pour faire l'amour pendant que les autres s'amusent. Mais pendant que Bill et Mary sont en pleine action, ils sentent que quelqu'un les observe. C'est un clodo qui s'enfuit dès que Bill braque sa lampe torche sur lui. Bill remet son pantalon et dit à Mary de ne pas bouger pendant qu'il va rattraper le type pour avoir une explication avec lui. Elle attend et, au bout d'un moment, elle entend un cri. Quand Bill revient accompagné de son pote Neal, ils ont l'air d'avoir couru. Bill explique que le clochard leur a échappé et qu'il est impossible de le retrouver. Bizarrement, ils restent muets sur le cri que Mary a entendu, mais elle n'insiste pas. Avant de rejoindre les autres qui sont trop dans les vapes pour avoir prêté attention à tout ce raffut, Bill dit à Mary qu'il est inutile de leur parler de tout ça, parce que, de toute façon, lui ne pourrait rien évoquer sans dévoiler à sa copine qu'il l'a trompée avec Mary. Tout le monde est donc d'accord pour se taire. Le hic, c'est que, instantanément, Mary sent un changement d'attitude chez Bill vis-à-vis d'elle. Il devient distant, froid. Comme s'ils n'avaient rien partagé du tout. Et une chose l'a intriguée : dès le lendemain, Bill est retourné seul sur Mohegan Island et il y a passé la journée. Alors Mary a compris que Neal et lui avaient menti, que le type qui les avait épiés la veille ne s'était pas échappé et qu'il lui était arrivé quelque chose, sans qu'elle sache quoi. C'était ça, l'événement discordant de la vie de Mary : cette soirée pleine de rire, de sexe et d'ivresse qui débouche sur un silence boursouflé de mensonge et de non-dit, comme une grosse pomme pourrie. Ça a vraiment dû la marquer, d'ailleurs, parce qu'elle a fait une description très précise de l'île, de la forêt, des bâtiments où tout ça s'est passé…

Bill était atterré : tout cela était arrivé parce qu'il n'avait pas su être assez discret pour retourner sur l'île sans se faire remarquer. Si Mary ne l'avait pas vu, ils se seraient éloignés l'un de l'autre définitivement et cette histoire serait morte avec eux, un jour ou l'autre.

— Je suis épuisé, dit Kirkpatrick, je crois que je vais aller dormir un peu…

Il quitta la pièce sans un regard pour Bill. À nouveau seul, ce dernier crut un bref instant qu'il allait
mourir : toute son énergie l'abandonnait doucement
et il sentait qu'il tombait dans un gouffre ouaté et
doux. C'était une chute légère, enivrante et éternelle. Si la mort était ainsi, il l'acceptait avec joie.

Mais il ne s'agissait pas de ça : c'était seulement
le mélange détonant de fatigue, d'ivresse et d'émotion qui le déstabilisait. Il se recroquevilla en position
fœtale sur le canapé puis il s'endormit.

XX

Quand Bill se réveilla quelques heures plus tard, il était un peu plus de 14 heures. Son bras le faisait souffrir et sa bouche était pâteuse au point qu'il avait l'impression d'avoir fait un festin de fruits pourris.

À peine fut-il debout qu'il sentit les larmes lui monter aux yeux. Alors qu'il ne pleurait presque jamais, la nuit précédente l'avait métamorphosé en une vraie fontaine. Il parvint à ravaler ses sanglots et, avant toute chose, il alla vérifier à l'étage si Kirkpatrick était encore là. Il n'aurait su expliquer pourquoi la perspective du départ de l'écrivain le remplissait d'angoisse, de terreur, même. En réalité, il savait quelles en étaient les raisons : il voulait sincèrement lui raconter toute l'histoire, dans les moindres détails. Comme s'il le lui devait.

Arrivé à la chambre d'ami, il tourna la poignée de la porte avec beaucoup de précaution. À l'intérieur, les rideaux tirés laissaient entrer suffisamment de lumière pour que Bill distingue la silhouette de l'écrivain couché nu sur le ventre. Il avait rejeté drap et couvertures au pied du lit.

Bill referma la porte et décida de prendre une douche avant de déjeuner.

Il commença à l'eau froide pour se réveiller complètement. Cela lui donna un bon coup de fouet et quelques minutes plus tard, il engloutit un rapide déjeuner.

La journée étant déjà bien entamée, il se dépêcha de se préparer et de vérifier une ou deux choses sur internet. Il chercha le moyen de transport le plus rapide pour se rendre à Elizabeth City, en Caroline du Nord : il pouvait partir dans une heure et demie s'il se dépêchait. En jouant avec les différents changements de gares routières, il pourrait être chez Mary dans la soirée.

Il prit un petit sac avec des affaires de toilette et de quoi se changer, puis de quoi écrire. Il réfléchit un moment avant de trouver quoi dire puis se lança.

Dick,

Il pesta et prit une autre feuille de papier.

Mon cher ami,
Je suis parti dans l'après-midi sans te réveiller. Je me rends chez Mary pour lui donner enfin la clé à toutes les interrogations qui la tourmentent depuis tant d'années. Elle mérite de savoir plus qu'aucune autre personne au monde, mais rassure-toi, dès mon retour, tu auras droit toi aussi à la vérité.

En attendant — qui sait combien de temps ce voyage durera ? J'ose espérer que Mary sera rentrée auprès de son époux, étant donné que ce dernier est malade —, sache que tu es ici chez toi. Il y a même un peu de liquide dans le premier tiroir de mon bureau si nécessaire — même si, comme tu me l'as dit, tu es assez aisé pour subvenir à tes besoins.

Je te remercie d'être venu et d'avoir permis de crever cet abcès. Tout cela me hantait sans doute depuis longtemps sans que j'en sois conscient. J'ignore si tu m'as sauvé la vie mais je peux affirmer que tu as sauvé mon âme.

Je te revois bientôt et je me permets de t'embrasser.

Affectueusement,

Bill.

Il se relut rapidement et remarqua qu'il n'avait pas écrit « amicalement » comme il le pensait, mais « affectueusement ». C'est ainsi qu'il terminait toujours les lettres qu'il écrivait parfois à Neal à l'université. Il ne corrigea pas et plia la feuille qu'il plaça bien en évidence sur le comptoir du bar de la cuisine.

Il appela ensuite un taxi et sortit avec son petit sac. C'était le milieu de l'après-midi : avoir dormi si tard donnait l'impression à Bill d'avoir perdu un temps précieux. En attendant l'arrivée du chauffeur, il décida d'appeler Olivia sur son portable.

Elle décrocha rapidement. Cet appel en pleine journée semblait l'avoir inquiétée, mais Bill la rassura vite : il lui demanda de dire à Lisa et aux filles qu'il les aimait et qu'il partait en voyage un jour ou deux. Elles ne devaient pas s'inquiéter : il serait vite de retour et pourrait mettre les choses à plat avec Lisa. Tout rentrerait dans l'ordre, quelle que fût l'issue. Olivia fut intriguée, mais il n'en dit pas plus. La jeune femme lui demanda de prendre soin de lui et d'être prudent.

Au cours de son appel, le téléphone de Bill avait vibré. C'était un message du numéro qui, désormais, n'était plus inconnu.

Es-tu prêt à tout perdre, Bill, comme certains ont tout perdu sur Mohegan Island ?

Il n'envoya aucun message et décida d'appeler le numéro, comme il l'avait fait le soir de l'hommage funèbre à Percy Rogers.

On décrocha au bout d'une seule sonnerie.

— Allô ? dit-il.

Toujours cette impression de respiration lointaine, de souffle retenu au bout du fil.

— Je sais que c'est toi, Mary.

Il y eut un soupir, dont Bill n'aurait su dire s'il témoignait du soulagement ou de la déception de Mary.

— Tu as lu le livre de Kirkpatrick ? demanda-t-elle.

Cette voix.

Elle surgissait d'une autre vie morte depuis longtemps. C'était le même timbre de petite fille qui enchantait Bill quand Mary prenait la parole. Cette même voix qui seule avait le pouvoir de faire naître le silence dans le brouhaha de leurs réunions étudiantes si elle se décidait à chanter quelque chose.

— Oui, répondit Bill, étreint par l'émotion, et j'ai tout de suite pensé à toi, à tout ce que nous avons vécu…

Elle ne répondit rien.

— Je suis en route pour venir te voir, Mary…

— Je m'en doutais. Je pensais même que tu viendrais plus tôt.

— Tu es chez toi ? Tu es à Elizabeth City ?

— Oui.

— Alors, à ce soir.

Il raccrocha.

Au bout de la rue, il vit le taxi arriver et lui fit signe. D'ici quelques heures, presque tout serait résolu.

XXI

Mary vivait dans une maison de banlieue non loin de l'océan. C'était bourgeois, et pour tout dire assez proche, dans l'esprit, de l'endroit où vivait Bill.

D'après ce qu'il avait lu, les romans graphiques de Mary et de son époux se vendaient très bien : il était probable qu'ils avaient les moyens de se payer une maison plus luxueuse et sans aucun voisin, mais ils ne l'avaient pas fait. Bill reconnut là le goût de Mary pour la simplicité, et son souci de rester au contact de son prochain. Sans doute son mari pensait-il la même chose.

Il était 23 heures quand Bill arriva enfin devant la maison. Il ne ressentait aucune fatigue : l'excitation était trop forte.

À l'intérieur, toutes les lampes semblaient être allumées. Mary l'attendait. Il n'eut d'ailleurs pas le temps de faire quelques pas dans l'allée qui menait jusqu'à l'entrée qu'une silhouette apparut derrière une fenêtre. Bien que ce ne fût qu'une ombre, Bill posa son sac par terre pour lui adresser un signe de la main. Il devina un hochement de tête pour toute réponse et elle disparut.

Il reprit son sac et avança vers la porte blanche qui s'ouvrit.

Elle était là.

Avec l'âge, elle s'était un peu empâtée, mais son visage avait conservé toute sa grâce juvénile. Seul son regard marqué par la fatigue y jetait un voile.

Elle lui sourit poliment et il renonça à l'embrasser.

— Ça fait longtemps, dit-il.

Puis il s'en voulut d'avoir prononcé une phrase aussi banale.

— Entre, je t'en prie, dit-elle en faisant un gros effort afin de ne pas paraître trop froide.

Il acquiesça et entra.

C'était une maison chaleureuse mais triste. Silencieuse. Bill eut tout de suite l'impression qu'on y attendait la mort.

— C'est très beau chez toi, remarqua-t-il.

— Ça ne restera pas « chez moi » très longtemps, dit-elle. Pat est très malade, je vais devoir le faire entrer dans un institut spécialisé. Quand ce sera fait, je crois bien que je n'aurai plus la force de vivre ici sans lui…

— Je suis désolé de l'apprendre.

Elle ne répondit pas et enchaîna sur autre chose :

— Tu es venu sur un coup de tête, je parie ?

— En quelque sorte, oui…

— Je m'en suis doutée. Comme tu n'as sûrement pas eu le temps de réserver un hôtel, j'ai demandé à Melinda de te préparer la chambre d'ami. À cette heure-ci, tu n'aurais rien trouvé…

— C'est très gentil à toi, merci.

Elle lui adressa un sourire mécanique puis l'invita à la suivre jusqu'à la chambre. Il entra dans la pièce et Mary resta sur le seuil. Elle lui expliqua qu'il y avait là tout le confort possible et qu'il lui suffirait de demander s'il avait besoin de quoi que ce soit. Elle était aimable, mais s'exprimait sans chaleur.

— Tu peux ranger tes affaires, si tu veux, ajouta-t-elle, et si tu n'es pas trop fatigué, tu seras gentil de descendre me rejoindre à la cuisine, je vais faire du café.

Elle quitta la pièce et Bill prit le temps de ranger ses quelques vêtements dans la commode et de poser sa trousse de toilette dans la salle de bains.

Lorsqu'il eut fini et qu'il sortit de la chambre, il fut attiré par un bruit étrange qui venait du fond du couloir. Intrigué, il s'y rendit et jeta un œil par la porte entrebâillée. Un homme secoué de spasmes était allongé sur un lit médicalisé, ses bras recroquevillés devant lui en une posture douloureuse. Il émettait une sorte de râle de temps à autre. Un filet de bave luisait à la commissure de ses lèvres toujours ouvertes.

— Qu'est-ce que tu fais là ?

Bill sursauta. Le ton sec, presque furieux de Mary l'avait surpris.

— Je… Je suis navré, bredouilla-t-il, j'ai entendu du bruit et j'ai cru que… que quelqu'un n'allait pas bien…

— Ça fait un bout de temps que Pat ne va pas bien, dit-elle, il a une démence à corps de Lewy, et il traverse une grosse crise depuis trois jours.

— Quand je l'ai eu au téléphone l'autre jour, il semblait bien, pourtant.

— Tu as appelé ici?

— Oui, et ton mari m'a dit que tu t'étais enfuie à cause du livre, qu'il ne savait pas quand tu reviendrais.

En dépit de la gravité de la situation, Mary éclata d'un rire sans joie.

— Mon pauvre Pat! s'exclama-t-elle avec des larmes dans la voix. Dès que je pars en ville pour une heure, il dit à tout le monde que j'ai quitté la maison pour toujours et qu'il respectera mon choix… Il y a trois semaines, j'étais partie parce que Melinda avait raté le dessert prévu pour le dîner avec les Walker. Quand ils sont arrivés, je n'étais pas encore rentrée à cause d'un contretemps et Pat leur a annoncé : « C'est fini, elle est partie : la bonne a raté la tarte au citron. »

Bill se sentit stupide d'avoir cru aussi facilement que Mary avait pu commettre ce genre de fuite romanesque.

— Il m'a pourtant parlé du livre, souligna-t-il, il m'a dit que sa lecture t'avait bouleversée.

— C'est vrai, répondit-elle, je n'ai jamais eu de secret pour Pat. Et lui non plus. Nous nous aimons.

Ces mots résonnèrent douloureusement aux oreilles de Bill. Il ne pouvait pas en dire autant que Mary sur sa relation de couple avec Lisa.

Il la suivit jusqu'à la cuisine où deux tasses de café les attendaient.

Ils s'installèrent et Mary regarda Bill droit dans les yeux sans rien dire. Elle était en colère, c'était certain, mais elle ne parvenait pas à dissimuler l'once de satisfaction qu'elle éprouvait à l'idée que Bill était là, avec elle.

— C'est la première fois de ma vie que je m'adonne au harcèlement téléphonique avec quelqu'un, dit-elle enfin.

— Et c'est la première fois qu'on me harcèle.

— Quand tu as appelé, le premier soir, j'ai été à deux doigts de te parler pour ne pas faire durer la comédie trop longtemps... Mais quelque chose m'a retenue. Je crois que je voulais te faire peur.

— Tu as réussi ton coup, en tout cas.

Cette confidence arracha un sourire satisfait à Mary. Il lui précisa dans quelles circonstances il avait reçu les premiers messages, et la façon dont elle avait ruiné – bien involontairement – la soirée d'hommage à Percy Rogers.

Ce récit la fit jubiler, et elle rit comme une écolière, puis son regard se fit plus inquisiteur.

— Et Lisa ? demanda-t-elle. Elle a pris ça comment, le fait que tu partes brusquement en voyage en Caroline du Nord ?

— Je ne sais pas, répondit-il en baissant les yeux.

— Comment ça ?

— Elle a quitté la maison il y a quelques semaines… Toute cette histoire autour du bouquin, ça a pris des proportions incroyables.

— Il y a de quoi. Il y a quand même eu un crime.

Bill se mit à rougir.

— Je ne savais pas que tu étais au courant, murmura-t-il, je te demande pardon.

— Ce n'est pas à moi de t'accorder ou non mon pardon, Bill. C'est à la famille du pauvre gars qui y a laissé sa peau.

— Tu aurais dû m'en parler ! s'exclama-t-il soudain. Tu aurais dû me dire dès que tu as su !

— Parce que c'était à moi d'aller te trouver pour que tu me confesses tous tes forfaits ? Tu es d'une lâcheté ! Et puis quelle tête tu aurais faite si j'avais eu l'idée de venir te balancer tout ça à la figure ?

— J'aurais été obligé d'assumer, ça nous aurait épargné bien des choses.

— Assumer ? Tu aurais assumé aussi si je t'avais avoué que je savais que le matin même de notre excursion à Mohegan Island tu avais demandé Lisa en mariage ?

Bill crut être foudroyé sur place.

— Elle te l'a dit ?

Mary était au bord des larmes.

— Oui, elle me l'a dit quand on est rentrés sur le continent, le lendemain.

Elle secoua violemment la tête.

— Tu l'as demandée en mariage, espèce de salaud, et le soir même tu m'as baisée !

— Ne dis pas des choses pareilles, Mary, je t'en prie…

— Et comment veux-tu que je le dise autrement, pour l'amour du ciel ?

Elle avait raison. Certes, ils avaient beaucoup bu et fumé ce soir-là, mais il avait ressenti le désir de faire l'amour avec Mary bien avant. Et le fait d'être fiancé à Lisa depuis quelques heures à peine n'y avait rien changé.

— Je t'aimais, Bill, dit-elle avec plus de calme, et tu n'en as rien eu à foutre…

— Tu étais en couple avec Sam ! protesta-t-il.

— Ne te fiche pas de moi, dit-elle avec un rire blessant, tu savais pertinemment que j'étais une couverture pour Sam et qu'il était avec Joe. Ose me dire le contraire.

Bill voulut clamer haut et fort qu'il ne savait rien, mais c'eût été un mensonge : chacun dans le groupe avait compris le petit jeu qui se tramait entre Sam et Joe. Si ce dernier assumait – en toute discrétion, certes – ce qu'il était, il n'en allait pas de même pour Sam. En témoignaient les nombreux matchs de lutte improvisés entre les deux jeunes hommes devant le reste de leurs amis. Même sur Mohegan Island ils avaient remis ça, et c'est pour cette raison que Bill et Mary avaient pu s'éclipser si facilement. Lisa s'était assoupie et Sam et Joe luttaient en sous-vêtements.

— Tu as toujours tellement bien su tirer parti des autres, Bill, reprit-elle, toujours interpréter les faits comme ça t'arrangeait… C'est minable…

Un long moment passa sans que Bill ni Mary trouvent rien à dire. Il n'avait pas imaginé ainsi leurs retrouvailles, pas empoisonnées par une telle violence, ni toute cette déception amère.

Elle se leva, visiblement calmée. Avoir ouvert son cœur après deux décennies de silence lui avait fait du bien.

— Je vais refaire un peu de café, dit-elle, tu en veux ?

— Oui, s'il te plaît…

Craignant de voir le silence tomber à nouveau comme une chape de plomb sur la conversation, Bill se sentit obligé de dire quelque chose.

— J'ai appris très récemment que Neal était mort. J'ai eu sa femme au téléphone.

— Peggy ? C'est une femme charmante. Elle a beaucoup de courage.

— Ça m'a fait un tel choc quand elle m'a dit qu'il était parti. C'était violent.

— D'autant plus violent que tu nous as tous rayés de ton existence sans jamais avoir cherché à savoir ce que nous étions devenus.

Il ne répondit rien.

— Tu aurais su que Joe et Sam vivent aujourd'hui tous les deux en Floride et qu'ils ont adopté une petite fille. Je ne dis pas que je suis une amie modèle, mais j'ai maintenu un semblant de relation avec les autres. C'est un fil ténu, je te l'accorde, mais au moins il existe.

Elle remarqua combien ses propos blessaient Bill et voulut se rattraper.

— Je ne dis pas que tu es un mauvais bougre, Bill, mais tu es d'un égocentrisme… Tout ce qui ne touche pas à ta personne te passe au-dessus de la tête, c'est à se demander si tu es conscient que les autres existent en dehors de toi. Et crois-moi, ça me fait mal de dire ça à une personne que j'aime…

Elle n'alla pas plus loin et ses joues rosirent un peu. Elle lui tourna le dos. À la fin de ce torrent de reproches était arrivée une phrase lumineuse, même si elle devait déjà regretter de l'avoir prononcée.

Comme il ne voulait pas qu'elle se sente embarrassée, il préféra changer de sujet.

— Kirkpatrick m'a parlé de tes projets, de ta volonté de continuer à écrire seule les romans graphiques que tu publies avec ton mari…

Elle se retourna et lui adressa un regard suspicieux.

— Tu es entré en contact avec lui ?

— Oui : il vit chez moi depuis quelques jours.

Mary se figea et Bill remarqua qu'elle avait légèrement pâli.

— Kirkpatrick vit avec toi ?

— Pour la durée de son séjour, oui… Tu sais que j'ai toujours eu l'angoisse de vivre seul, et comme Lisa est partie…

Visiblement, l'explication de Bill n'avait rien changé à la stupeur de Mary.

Cette dernière servit la seconde tasse de café et s'assit de nouveau en face de lui. Le visage grave, elle lui prit les mains. Bill en fut bouleversé, puis inquiet.

— Bill, mon chéri, sais-tu qui est vraiment Kirkpatrick ?

Il ne comprit pas le sens de la question de Mary et la dévisagea.

— Oui, dit-il, c'est l'auteur du bouquin, pourquoi ? Tu ne vas pas me dire que c'est toi qui l'as écrit ?

Elle secoua la tête avec un petit soupir exaspéré.

— Non, Bill, c'est bien lui l'auteur… Mais il ne t'a pas raconté l'histoire de ma nouvelle ?

— Si. Il a dit que tu avais décrit notre nuit d'amour, et le moment où le clodo nous a surpris. Que tu t'es doutée qu'il était mort quand tu m'as vu retourner sur Mohegan Island.

Mary porta les mains à sa bouche, frappée d'une terreur qui contamina bientôt Bill.

— Quoi ? Qu'est-ce qu'il y a, Mary ?

— Je… Je n'ai jamais écrit qu'un homme était mort sur Mohegan Island, Bill.

Elle parlait à voix basse, comme si elle avait eu peur de réveiller d'autres fantômes du passé.

— Comment ça, tu n'as jamais écrit ça ? demanda Bill.

— J'ai écrit une nouvelle sur ma nuit d'amour avec le seul homme que j'avais jamais aimé jusqu'alors. Et comment cet homme a sombré dans la mélancolie par la suite. Je t'ai perdu après Mohegan Island, Bill, et le clochard qui nous a surpris, j'ai vu dans sa présence un signe du destin qui m'indiquait que jamais nous ne pourrions être ensemble, toi et moi… Cet inconnu surgi d'une forêt obscure, je l'ai interprété comme un symbole poétique, pas un homme qu'on s'apprêtait à assassiner…

L'incompréhension grandissait en Bill et suscitait chez lui un début de colère. Il se demandait si Mary ne se moquait pas de lui.

— Mais qu'est-ce que tu racontes? explosa-t-il. Tu m'as dit tout à l'heure que tu étais au courant qu'un type était mort là-bas!

— Oui, mais je ne l'ai su que récemment! J'étais à cent lieues d'imaginer une chose pareille à ce moment-là!

— Dans ce cas, comment Kirkpatrick l'a su? hurla Bill.

— Parce que c'est lui qui m'en a parlé!

Bill tremblait et son cœur battait à une vitesse folle. Kirkpatrick n'avait qu'une dizaine d'années à l'époque, et il n'avait aucun moyen d'avoir connaissance des événements. Rien de tout cela n'était cohérent.

— Je… C'est n'importe quoi… bafouilla-t-il.

Mary secoua la tête doucement. Elle pleurait désormais à chaudes larmes.

— Bill, dit-elle, le type qui est mort sur l'île cette nuit-là, Kirkpatrick l'a cherché toute sa vie : c'était son frère.

XXII

Une fois révélée l'identité de l'homme qui était mort sur Mohegan Island, Bill laissa Mary lui dire tout ce qu'elle savait.

Le frère de Kirkpatrick s'appelait Gregory. Il avait un tempérament rebelle et rejetait le mode de vie bourgeois de ses parents. Ils ne se comprenaient pas et la sœur aînée de Kirkpatrick et Gregory s'était rangée du côté de leurs parents.

La seule personne qui trouvait grâce aux yeux de Greg dans cette famille, c'était son petit frère, Dick. Il avait très tôt deviné en lui le futur artiste. Et pour le gosse, Greg avait toujours été un dieu. C'est pourquoi il avait très mal vécu le départ de son frère de la maison familiale quand ce dernier avait 19 ans.

Du jour au lendemain, il avait préparé ses bagages et il était parti sans un mot d'adieu pour quiconque à l'exception d'une petite carte qu'il avait faite lui-même à l'intention de Dick. Greg était un véritable artiste lui aussi, dans le domaine du dessin et de la peinture. Tout au long des années, c'est par le biais de petits cartons illustrés qu'il a donné signe de vie à son frère. À intervalles plus ou moins réguliers, Dick recevait des cartes représentant les différents endroits où Greg avait provisoirement élu domicile.

Leurs parents refusaient de les lire, même si elles les rassuraient, d'une certaine façon : chacune d'entre elles signifiait que leur fils était en vie, quelque part, et qu'il allait bien. Dick avait remarqué que leur mère avait toujours le sourire quand une carte de Greg arrivait au courrier. Leur père faisait mine de les ignorer, mais il était de meilleure humeur lorsqu'il s'apercevait que Dick en avait affiché une nouvelle au mur de sa chambre.

Dick avait 9 ans au moment où Greg avait quitté la maison. Il avait reçu des cartes jusqu'à l'âge de 11 ans et la dernière d'entre elles devait pour toujours rester gravée dans sa mémoire. Elle représentait un morceau de terre perdu dans une brume légère quelque part sur l'océan. *Le paradis s'appelle Mohegan Island,* avait-il écrit à Dick, *je t'en reparle bientôt. Je t'embrasse. Ton grand frère qui t'aime.*

Il n'y avait pas eu d'autre carte. Dick avait attendu en vain. Quand les semaines s'étaient entassées les unes sur les autres comme autant d'espoirs déçus et qu'elles s'étaient changées en mois, une certitude terrible s'était emparée de l'adolescent : il ne recevrait plus de cartes dessinées par Greg. Ce dernier avait parfois laissé s'écouler de longues périodes entre deux envois mais jamais il n'avait promis à Dick de lui récrire rapidement sans tenir parole.

Un jour, la mère de Dick vit que l'absence de carte au courrier avait désespéré le garçon. Comme elle lui avait demandé les raisons de son inquiétude, elle s'en était ouverte à son mari et à leur fille. Ces derniers préféraient penser que Greg avait rencontré quelqu'un et qu'il avait décidé d'écrire seul un nouveau chapitre de sa vie, pourtant Dick percevait quelque chose dans leurs voix et dans leurs gestes qui indiquait qu'ils ne croyaient pas réellement à ce qu'ils disaient. Et lui non plus ne pouvait pas y croire : Greg pouvait oublier leurs parents, leur sœur même, s'il voulait, mais pas lui, pas Dick.

Il savait qu'il ne recevrait plus jamais de signe de vie de la part de son grand frère ; tout ce qu'il attendait, désormais, c'était l'annonce officielle de sa mort. Mais personne n'était venu la leur confirmer, au point que, parfois, Dick s'était demandé si son père n'avait pas raison : peut-être Greg avait-il poussé l'égoïsme qui l'avait fait quitter sa famille au point de rayer aussi son petit frère de son existence. En ces rares occasions où le désespoir le gagnait, Dick l'avait haï.

Sans surprise, la disparition complète de Greg avait pesé sur ses parents de façon douloureuse. Ils étaient morts du silence prolongé dans lequel l'existence de leur fils avait été engloutie, comme Dick l'avait déjà raconté à Bill.

En grandissant, Dick avait mis de côté le souvenir de ce frère disparu par petites touches afin de ne pas prendre le risque de passer à côté de sa propre vie. Cette partie-là de son histoire, Bill la connaissait. Ce qu'il ignorait, c'est le choc reçu par Kirkpatrick quand il avait eu sous les yeux une nouvelle intitulée « Mohegan Island ». En tant que dessinatrice professionnelle, Mary n'avait pas pu s'empêcher d'illustrer la page de titre d'un petit croquis : on y voyait l'île, au loin, et un jeune homme de dos, au bord de l'eau, la contemplait.

— Tu te rends compte ? dit-elle à ce moment de son récit. Il y avait une chance sur un million que je croise la route de Kirkpatrick un jour ! Et j'ai atterri dans son cours d'écriture pour la seule raison que Pat est un ancien étudiant de l'université d'Oregon et que je voulais me rapprocher un peu de lui en m'inscrivant à ce cours... Il n'y a vraiment que les montagnes qui ne se rencontrent pas.

Bill ne répondit rien mais n'en pensa pas moins. Tout cela renforçait en lui la conviction qu'il devrait assumer ses actes d'une façon ou d'une autre, et qu'un destin têtu orientait sa vie en ce sens.

Mary reprit le cours de son histoire.

Kirkpatrick avait lu son texte, perturbé, puis il avait compris que la date à laquelle il se déroulait correspondait à une ou deux semaines près avec la dernière carte envoyée par Greg. Tout ça pouvait n'être qu'une suite de coïncidences, mais il devait en être sûr. Cette nouvelle, c'était peut-être la dernière carte que lui avait envoyée Greg par le biais d'une autre personne.

Il en avait alors parlé à Mary. Il lui avait raconté sa vie, la façon dont son grand frère avait décidé de mener sa barque, puis son silence soudain, qui n'avait jamais pris fin. Il avait décrit à Mary le visage de Greg : ce visage taillé au couteau, ces grands yeux d'un vert sombre et liquide, cette chevelure blonde et bouclée. Et ce détail aussi : cette balafre sur la pommette gauche, vieux souvenir d'une bagarre à coups de raquettes de tennis lors d'un tournoi junior durant l'adolescence de Greg.

C'est cette précision qui avait fini de persuader Mary que c'était bien lui le jeune homme qui les avait vus, Bill et elle, quand ils avaient braqué sur lui la lampe torche. Ils s'étaient sentis observés dans le clair de lune qui tombait sur eux par une ouverture du bâtiment qui, jadis, avait été une fenêtre. Pendant un instant, tous les trois étaient restés pétrifiés, et Mary l'avait regardé sans comprendre. Puis Bill avait juré avant de se lever, mais le garçon s'était déjà enfui. Ce fut alors que Neal, qui était resté dans les environs pour les prévenir si Sam ou Lisa venait à s'approcher, s'était lancé à sa poursuite. Après, Mary ne se souvenait plus trop. Il y avait eu un cri très aigu et, une demi-heure plus tard, les garçons étaient de retour, seuls. Le type avait réussi à s'enfuir.

À ce stade du récit de Mary, Kirkpatrick avait compris qu'elle n'en savait pas plus. Il voulait des détails concernant Bill, Neal, Lisa, même. Et aussi Joe et Sam. Il était curieux de leur vie, de leurs goûts, de leurs projets à l'époque. Mary avait alors deviné : de tout cela naîtrait un livre. Elle en avait trop écrit avec son mari pour ne pas reconnaître la naissance d'une idée chez un auteur.

Et il était parti, sans colère ni désespoir. Soulagé ? Peut-être. Mary l'était, pour sa part, comme si elle avait partagé le secret de cette nuit sur Mohegan Island sans en être consciente.

Elle croyait qu'elle n'entendrait plus jamais parler de Kirkpatrick puis de Mohegan Island quand, il y avait de cela quelques mois, elle avait reçu un coup de téléphone de sa part. Il souhaitait la voir et prendre de ses nouvelles, lui parler de quelque chose qui lui tenait à cœur. Elle avait accepté, naturellement. Elle sentait que le dernier acte de cette histoire touchait à son terme et qu'elle devait, elle aussi, se réconcilier avec son passé.

Kirkpatrick était venu chez elle, encore. Tout dans son attitude trahissait la fébrilité et l'hésitation : il avait rencontré Neal quelques semaines après elle et ils avaient longuement parlé. Puis il avait écrit un roman inspiré de ce qu'elle lui avait raconté et des révélations de Neal, secret étouffant qu'il partageait avec Bill.

Neal avait confirmé à Kirkpatrick que Greg était mort, que Bill et lui devaient retourner sur Mohegan Island pour l'y enterrer dès le lendemain de leur retour sur le continent. Il avait flanché au dernier moment, et Bill avait dû s'acquitter seul de cette tâche. Mary avait conscience que l'écrivain ne lui avait pas tout dit. Il avait préféré ne pas répéter tout ce que Neal lui avait confié et il avait respecté son choix. Ce dernier avait vu dans la visite de Kirkpatrick l'occasion de se libérer du tourment qui le rongeait depuis tant d'années. Tout son récit avait été ponctué de larmes et de demandes de pardon. Dick avait refusé de le lui accorder : il ne pouvait pas. Un jour, peut-être, mais pas maintenant. Et puis Neal était mort peu après, et Kirkpatrick pensa qu'il en était mieux ainsi.

Il avait laissé à Mary un exemplaire de son roman en ajoutant – sans qu'elle puisse dire si c'était de l'ironie – qu'il espérait qu'elle apprécierait la lecture. Il avait passé plus d'un an à l'écrire.

À sa grande surprise, Mary avait retrouvé tout ce qu'elle avait vécu sur Mohegan Island vingt ans plus tôt. L'atmosphère, les situations, et leurs pensées à tous, comme si Kirkpatrick, après un obscur tour de magie, était parvenu à se glisser dans la tête des uns et des autres. Comme s'il avait assisté à tout, en silence, dissimulé en chaque recoin de l'île simultanément.

Elle avait été tellement en colère : Bill et Neal lui avaient sciemment caché ce qui s'était produit cette nuit-là. Et depuis tout ce temps, sans le savoir, ce secret l'avait gênée comme un caillou dans sa chaussure. Elle avait été bouleversée par la seconde visite de Kirkpatrick : il était partagé entre le désir de se venger et la volonté d'enfin tourner la page. Mary, elle, ne voulait pas que Bill s'en sorte aussi bien. Neal était mort, mais Bill était toujours en vie, installé confortablement dans son égoïsme satisfait, et elle ne le supportait pas. Elle avait annoncé à Kirkpatrick qu'elle enverrait des exemplaires de son livre à Bill, et à tous les autres membres de leur ancien groupe, y compris la veuve de Neal. Puis elle avait eu l'idée d'élargir le cercle aux parents de Bill, étant donné que la mère de ce dernier apparaissait également dans le roman. Elle avait fait ça juste pour lui faire peur, mais aussi avec le mince espoir qu'au terme de tout cela il esquisserait une forme de repentir.

*

Elle se tut. Bill ne l'avait pas interrompue une seule fois : tout le temps du récit de Mary, il était demeuré de marbre. Il prit conscience, une fois de plus, qu'un élément de l'histoire était omis – volontairement ou non – dans la version que Kirkpatrick avait livrée à Mary. Neal était-il resté muet sur une partie des événements ?

— C'est toi qui as fait parvenir les livres jusque chez moi, alors ? dit-il au bout de quelques secondes.

Elle acquiesça.

— Comment l'exemplaire de Lisa s'est-il retrouvé sur la table de mon salon ? demanda-t-il.

Mary se mit à rire.

— Pour ça, je suis très fière de moi, dit-elle. Mon neveu habite à quelques kilomètres de chez toi. C'est à lui que j'ai envoyé les livres avec pour consigne de les glisser dans ton casier à l'école et devant chez toi, sur ton perron, pour l'exemplaire de Lisa. Comme il s'est rendu compte qu'il n'y avait personne chez toi et que tu ne fermais jamais à clé, il a préféré entrer le déposer à l'intérieur, pour éviter qu'il ne soit abîmé au cas où il pleuvrait.

Elle secoua la tête comme si tout cela n'était qu'une mauvaise blague de collégiens. Bill, quant à lui, fut moins réceptif au comique de la situation.

— Kirkpatrick, reprit-il, il savait que j'allais essayer d'entrer en contact avec lui?

— Non, répondit-elle, je sais que lui en a eu la velléité, mais il a préféré laisser tomber. Il est paumé, Bill. Même s'il m'a dit souvent qu'il avait toujours été sûr que son frère était mort, il est comme tout le monde : sans preuve définitive, il gardait espoir.

Ce fut au tour de Bill de laisser échapper un rire amer.

— Dire que c'est moi seul qui l'ai conduit dans ma maison…

— Oui. Tu étais à ce point terrorisé que tu as tout fait pour te retrouver avec lui…

Ils restèrent de longues minutes à se regarder sans rien dire. Mary prit sa tasse et la finit d'un coup. Elle grimaça : le café avait refroidi.

— Kirkpatrick m'a dit que tu aurais probablement quelque chose à ajouter à toute cette histoire.

Bill la fixa un moment avant de répondre.

— C'est bien possible.

— Alors dis-le-lui, assume tes actes. Ce qui s'est passé sur Mohegan Island, ça l'a bousillé, et il aurait pu ne pas s'en remettre. Et tout ça à cause de quoi? D'étudiants débiles à moitié saouls qui se sont fait prendre en train de baiser en cachette et qui ont eu la trouille que leurs moitiés l'apprennent…

Mary eut l'impression que Bill voulait dire quelque chose. Sans doute cherchait-il encore une bonne excuse. Elle remarqua cependant que ses épaules tombèrent légèrement, comme si, enfin, il se décidait à lâcher prise. Il fallait qu'il lui dise toute la vérité. Il en avait besoin.

— Tu sais, dit-il, cette nuit-là, il n'y a pas eu que le frère de Kirkpatrick…

Mary l'arrêta d'un geste de la main.

— Ça suffit, dit-elle, je ne veux plus jamais rien entendre qui soit en rapport avec ça, alors quoi que tu aies à dire, garde-le pour lui, pour Kirkpatrick : c'est à lui que tu le dois…

Elle avait raison, comme si souvent.

— Je suis fatiguée, dit-elle en prenant sa tasse vide et celle de Bill, si ça ne te dérange pas, je vais aller me coucher : Pat a rendez-vous chez le médecin très tôt demain, et j'ai déjà trop veillé.

Elle allait partir mais une nouvelle question traversa l'esprit de Bill.

— Mary, encore une chose, s'il te plaît.

Elle l'interrogea d'un regard empreint de lassitude.

— Pourquoi avoir envoyé un message ce matin après tout ce silence ?

Elle soupira.

— Ces dernières semaines, la santé de Pat a connu un léger mieux, jusqu'à ces trois derniers jours. C'est terrible quand la maladie recule pour attaquer avec plus de violence qu'auparavant… J'étais triste et en colère, alors j'ai pensé à toi : tu as fait office de défouloir.

Elle haussa les épaules et Bill ne répondit rien.

Avant de le laisser, elle lui dit qu'il pouvait regarder la télé, prendre un livre dans la bibliothèque s'il le souhaitait : il était ici chez lui. Il la remercia mais préféra se retirer dans sa chambre. Il y réfléchit longuement : il ne pouvait s'arracher au souvenir des dernières semaines passées en compagnie de Kirkpatrick. Malgré ce qui était arrivé à son frère, Bill n'avait jamais ressenti la moindre agressivité de la part de l'écrivain, ni même une vague hostilité. Avait-il été capable de simuler une franche camaraderie puis une réelle amitié au point que Bill n'y avait vu que du feu ? C'était inconcevable, d'autant plus que Bill éprouvait une authentique sympathie pour Kirkpatrick.

Incapable de trouver le sommeil, Bill décida de descendre à la cuisine pour boire quelque chose. Après avoir pris un verre de jus de fruits, il sortit sur la terrasse qui se trouvait derrière la maison et à laquelle il pouvait accéder depuis la cuisine. Le sol était pavé de pierres roses, et il y avait un charmant salon de jardin : il était fait en un bois précieux qu'il ne parvint pas à identifier.

Il prit place sur un des sièges et observa le ciel sans nuages. Que se serait-il passé si, en fin de compte, il avait épousé Mary ? Il sut que cette question était idiote : c'était bien Lisa la femme de sa vie ; Mary, c'était autre chose, c'était la femme de ses rêves, et les rêves ne durent pas.

Il tourna la tête sur la droite et vit qu'une pièce était éclairée. Sans bruit, il se déplaça jusque-là. Ce n'était pas la chambre de Mary, mais son bureau de travail. Il l'aperçut, penchée sur quelques planches de dessin. Le regard était concentré, et le geste ferme. Ses traits n'accusaient pas la fatigue comme elle l'avait prétendu : elle voulait juste ne plus être en présence de Bill, parce que quelque chose en lui la dégoûtait, parce qu'elle avait compris qu'il avait pu vivre loin d'elle pendant des années sans avoir une seule pensée pour leur passé commun quand, de son côté, elle avait fait de lui le sujet central d'une nouvelle pour un atelier d'écriture dont le thème était un moment de crise dont les conséquences se faisaient toujours sentir.

Bill, lui, avait si bien écarté de son souvenir les événements de Mohegan Island qu'ils avaient fini par ne plus exister pour lui, tout comme leurs protagonistes.

Il rentra et prit conscience d'une chose : cette maison n'avait jamais été habitée par des enfants. Toute sa vie il avait eu l'impression que l'air vibrait différemment dans les lieux qui n'ont pas connu l'enfance. Il se demanda si ç'avait été un choix ou une fatalité puis décida de ne plus y penser : il voyait là une façon inconsciente pour Mary d'expier ce qui s'était produit sur Mohegan Island. Mais lui, qu'avait-il sacrifié de son côté ?

Une fois de retour dans son lit, il prit la décision de parler avec Kirkpatrick le plus tôt possible. Il sut qu'il ne rentrerait pas chez lui, que l'écrivain n'était certainement plus là-bas. Il savait aussi qu'il n'y avait qu'un endroit au monde où Kirkpatrick voudrait se rendre pour une dernière fois avant de vivre pleinement sa vie et d'écrire d'autres livres.

Là où reposait son frère, à Mohegan Island.

XXIII

L'île était là, au loin, droit devant lui.

Il était parti tôt dans la matinée, sans même attendre que Mary fût levée. Il avait appelé un taxi et avait quitté les lieux sans rien laisser derrière lui, pas même un mot d'adieu ni un simple merci. C'était encore ce qu'il avait de mieux à faire : disparaître de la vie de Mary complètement, sans aucune trace. Lui laisser une chance de croire qu'il n'avait jamais été autre chose qu'une manifestation fantomatique échappée d'un mauvais rêve plein de cris et de folie.

Depuis la gare routière du New Jersey où s'était arrêté le bus, il avait pris un taxi qui l'avait déposé à un peu plus d'un kilomètre de la côte, là où il pouvait louer un petit bateau pour une promenade.

Il avait marché pendant un moment, comme s'il avait voulu au maximum retarder l'instant où il déciderait de prendre la direction de Mohegan Island. Avant même de se rendre auprès d'un stand de location, il se souvint qu'il avait le bras dans le plâtre. Personne ne lui louerait une embarcation dans ces conditions. Il fallait pourtant qu'il se rende sur l'île, même s'il doutait désormais d'y retrouver Kirkpatrick. Comme dans le cas de Mary, Bill prenait doucement conscience qu'il ne reverrait jamais l'écrivain.

Il sentit son téléphone vibrer dans sa poche. C'était Lisa. Il voulut tout d'abord ignorer l'appel mais sa propre lâcheté commençait à le fatiguer. Il décrocha sans parvenir à articuler un seul mot : la proximité de Mohegan Island lui nouait la gorge.

— Bill ? Mon chéri ? Tu es là ?

La douceur inquiète de sa femme le détendit quelque peu et il réussit à parler.

— Oui, Lisa, je suis là…

— Oh, Dieu merci ! J'avais peur que tu n'aies fait une bêtise…

— Je vais bien, chérie, ne t'inquiète pas. J'avais besoin de prendre l'air, de faire le point…

— Je sais où tu es, coupa-t-elle. Tu es près de Mohegan Island.

Il resta sans voix. Elle avait fini par tout savoir. Finalement, ce n'était peut-être pas plus mal.

— Ta jeune étudiante, Alan, elle m'a tout raconté : l'histoire du bouquin, la présence de cet écrivain, Kirkpatrick, chez nous. Il est parti maintenant, il a tout révélé à Alan dans une lettre qu'il lui a laissée avec un exemplaire dédicacé de son roman… Elle est venue me trouver tout de suite. Elle était catastrophée.

— Alors tu sais vraiment tout…

— Oui. Et je sais que tu as passé la nuit dernière chez Mary. Je l'ai appelée et on a pu discuter. Je savais déjà ce qui s'était passé entre vous sur Mohegan Island, j'ai toujours su…

— Qui t'a… Comment as-tu su ?

— C'est Sam qui me l'a dit… Après avoir lutté avec Joe ce soir-là, il a remarqué que vous n'étiez plus avec nous autour du feu de camp. Il vous a vus dans le bâtiment désaffecté…

Bill tomba des nues : dire que Neal, à l'époque, était censé monter la garde en cas de problème.

— Et tu n'as rien dit…, murmura-t-il, tu n'as même pas voulu rompre nos fiançailles ?

— Ce n'était pas la peine : même si tu étais obsédé par Mary, c'est moi que tu avais choisie, et c'est toujours moi qui partage ta vie.

Avec cette simple phrase, Bill comprit à quel point il avait été l'artisan de son propre malheur. Par bêtise et par égoïsme. Par lâcheté, surtout, et aussi par un cruel manque de confiance dans l'amour de sa famille.

— Je t'aime, Lisa, je suis tellement désolé pour tout ça… Je ne voulais pas te mentir… Mais ce gars qui est mort sur l'île, je…

— C'était un accident, Bill, dit-elle d'une voix très douce.

Ces mots résonnèrent douloureusement à ses oreilles et il eut le sentiment d'être pris dans un ouragan.

— Je voudrais tellement qu'on parle de tout ça de vive voix.

— Quand tu seras rentré à la maison, on aura tout notre temps… Alan a décidé de venir te chercher.

— Comment ? fit-il, stupéfait.

— Cette petite tient beaucoup à toi, tu sais, dit Lisa en riant, tu fais figure de père de substitution pour elle…

— Elle sait où je me trouve ?

— Oui, je lui ai expliqué : quand elle sera dans les parages, elle t'appellera…

Bill observa le ciel qui se chargeait de nuages sombres. Le vent se faisait plus violent. Ses yeux brillaient.

— Bill ? dit Lisa. Promets-moi de rentrer avec Alan dès qu'elle t'aura trouvé. C'est fini maintenant, oublie cette île, oublie ce qui s'est passé là-bas : ça n'a plus d'importance…

Il aurait voulu la détromper, lui préciser que cela avait bien plus d'importance qu'elle ne pourrait jamais le comprendre, mais il décida de lui mentir, encore une fois.

— Je te le promets, chérie. Je vais tourner la page…

Au bout du fil, Lisa laissa échapper un éclat de rire mouillé de larmes refoulées. Ils échangèrent quelques mots tendres et des serments d'amour éternel auxquels Bill n'était plus sûr de croire, puis ils raccrochèrent sur la promesse faite par Bill d'être bientôt de retour à la maison.

Une vingtaine de minutes plus tard, il reçut un appel d'Alan. Sans le savoir, elle était très proche de lui et ils se retrouvèrent sans difficulté.

— Monsieur Herrington ! s'exclama-t-elle en le voyant. Comme vous nous avez fait peur !

Elle le prit dans ses bras. Bill fut touché par ce mouvement de tendresse filiale et caressa les cheveux sombres de la jeune fille. Elle relâcha ensuite son étreinte.

— Il faut rentrer chez nous, à présent, dit-elle.

Bill lui adressa un regard grave qui ne lui plut pas du tout.

— Vous ne pouvez pas retourner là-bas ! dit-elle. Ça ne servirait à rien ! Ce serait peut-être même dangereux par ce temps !

C'était la vérité : le vent ne soufflait pas encore trop fort pour gagner Mohegan Island, mais il était évident qu'une tempête se préparait pour la soirée. Jamais ils ne pourraient retourner sur le continent avant le lendemain.

— Je dois y aller, Alan, dit-il fermement, avec ou sans vous…

Elle s'apprêta à protester mais elle s'inclina : la résolution de Bill était inébranlable et rien n'aurait pu l'arrêter – certainement pas elle, en tout cas.

Ils se mirent donc en quête d'un petit bateau à louer et déchantèrent vite : personne ne voulait voir son matériel sur l'eau par un temps pareil, à plus forte raison avec un handicapé à bord.

Bill sentait le désespoir s'insinuer en lui et il supportait avec de plus en plus de difficulté les paroles d'Alan qui tentait de le ramener à la raison. Elle était dans le vrai, sans pouvoir le comprendre pour autant : il se trouvait là en face d'un de ces événements comme il n'en arrive pas deux fois dans la vie d'un homme. Il *devait* se rendre sur Mohegan Island ce soir car il savait que Kirkpatrick en avait foulé le sol il y avait peu de temps – peut-être même seulement quelques heures auparavant.

Il balayait du regard la côte sur laquelle les vagues s'écrasaient en rouleaux dans un fracas bouillonnant d'écume. L'océan semblait être d'un noir d'encre comme si la nuit à venir était prisonnière sous cette surface agitée et qu'elle s'apprêtait à surgir sur le monde pour l'engloutir dans ses filets de ténèbres une fois son heure venue.

Soudain, ses yeux s'arrêtèrent sur une petite embarcation à moteur à côté de laquelle se trouvaient trois jeunes gens hilares. Deux garçons et une fille qui riaient trop fort, en faisant trop de gestes exubérants, comme sous l'emprise de l'alcool, de la drogue, ou tout simplement enivrés de leur propre jeunesse. C'étaient sans doute des étudiants de retour d'une des îles alentour.

Au grand dam d'Alan, Bill se précipita dans leur direction. Ils ne remarquèrent pas sa présence avant le moment où il les interpella.

— Hé, s'il vous plaît ! Jeunes gens !

Un grand garçon blond, fin et musclé, tout droit sorti d'une publicité, le regarda en souriant.

— Je peux faire quelque chose pour vous, monsieur ?

— Oui. Il est à vous ce bateau ?

— Ouais, tout à fait! Enfin, il est à mon cousin, pour être exact.

Bill désigna l'autre garçon d'un coup de menton.

— Et c'est lui, votre cousin?

Cette question fit naître un nouvel éclat de rire hystérique dans le trio.

— Non, reprit le garçon blond après s'être calmé, c'est pas lui mon cousin!

— D'accord, dit Bill en essayant de sourire lui aussi, alors vous croyez que ça le gênerait, votre cousin, si je lui louais son bateau?

Le blond retrouva rapidement son sérieux.

— Ça dépend, dit-il, vous voudriez le louer quand?

— Immédiatement.

L'étudiant fut déconcerté : il affichait la mine déconfite de ceux qui s'apprêtent à refuser quelque chose alors qu'ils n'en ont pas l'habitude. Bill se tenait droit face au jeune homme sans rien abandonner de sa détermination, ce qui ne faisait qu'accentuer le trouble de ce dernier.

— Tout de suite, là? demanda-t-il comme s'il n'avait pas compris. Je sais pas trop… Vous avez vu le temps qu'il fait?

— Ça, ça me regarde, répondit Bill.

— Oui et non : jouer avec votre vie, ça vous regarde, mais le bateau de mon cousin, ça le regarde lui…

— Vous revenez d'où avec ce rafiot? demanda Bill en ignorant la réplique du jeune homme.

— Du petit îlot, là-bas, répondit l'autre en désignant une île trois fois plus petite que Mohegan Island et bien moins éloignée.

— C'est là que je vais, mentit Bill, alors je crois que ça devrait aller…

Mais l'autre demeurait perplexe. Bill sortit donc son portefeuille : il avait retiré plus de mille dollars avant de partir de chez lui, au cas où il se trouverait face à une dépense imprévue et avait réglé les trajets par carte bancaire.

— Tenez, dit-il en tendant les billets, voici un peu plus de huit cents dollars pour votre bateau. Ça suffira ?

— Huit cents dollars ! s'exclama le blond. Mais il les vaut pas ! À peine la moitié !

— Eh bien alors ça fera l'affaire, dit Bill qui lui fourra l'argent dans la main.

Le groupe ne faisait plus de bruit désormais, et chacun contemplait la liasse de billets. L'autre garçon haussa les épaules et le blond finit par acquiescer.

— Ça marche, dit-il seulement.

Bill demanda au garçon d'indiquer à Alan comment fonctionnait le moteur mais cette dernière avait déjà conduit ce type d'engin et n'eut pas besoin d'explications. Le garçon blond assura qu'il y avait largement de quoi faire l'aller-retour sur l'îlot et plus, ce qui rassura Bill.

Quelques minutes plus tard, ils se trouvèrent sur une eau déjà très agitée mais encore navigable. Plus d'une fois, Bill crut qu'une pluie fine et glacée commençait à tomber; il ne s'agissait en fait que des éclaboussures de l'eau sur le bateau, et des embruns nés des remous.

Lorsqu'ils furent près d'accoster sur Mohegan Island, Bill se retourna : on ne voyait plus la côte désormais, comme si Alan et lui venaient de gagner une terre minuscule éloignée de tout le reste de la civilisation. Il trouva cette perspective à la fois terri- fiante et séduisante, presque sublime.

Alan tira le bateau au maximum sur le rivage. Elle refusa l'aide que Bill lui offrit. Quand tout fut en place, elle prit enfin le temps d'embrasser les lieux du regard.

— Alors c'est ici que tout s'est déroulé, dit-elle.

— Oui, et c'est ici que tout finit, vingt ans après.

Bill n'aurait pas cru aussi bien se souvenir de cet endroit. Ils gagnèrent rapidement l'orée du bois, là où Bill et les autres avaient allumé leur feu et s'étaient adonnés à leurs bacchanales. Il suffi- sait ensuite de marcher sur quelques centaines de mètres pour rejoindre les bâtiments désaffectés, si ces derniers existaient encore. Et ils étaient là; Bill n'en avait jamais douté. Rien sur cette île n'aurait changé jusqu'à son retour, elle aurait été proté- gée en quelque sorte. Désormais, elle pouvait bien être engloutie dans les profondeurs de l'océan, peu importait : l'ultime voyage avait eu lieu. Tout était bien.

Il se dirigea vers l'intérieur des anciens locaux et alluma la lampe de son téléphone : il fut amusé de voir que le sol était jonché, çà et là, de préservatifs usagés et de canettes de bière vides.

Alan suivait en silence, fascinée à l'idée qu'elle se trouvait dans le décor réel du roman de Kirkpatrick.

Le rayon de lumière balaya la pièce et Bill remarqua un bouquet de fleurs fraîches. Il s'en approcha et le saisit : c'étaient des azalées. Une enveloppe était collée au papier argenté qui entourait le bouquet.

Pour Greg et Tammy.

Bill prit l'enveloppe et l'ouvrit. C'était la dernière carte envoyée par Greg à son petit frère. Elle était telle que Mary la lui avait décrite : Mohegan Island apparaissait au loin dans un effet de brouillard et Greg avait rédigé un petit mot qui en disait plus que ce que l'écrivain avait bien voulu dévoiler à Mary. Kirkpatrick avait donc volontairement laissé une partie de l'histoire dans l'ombre.

Salut, petit frère,

Je t'envoie un aperçu de ce qu'est le paradis sur terre : mon paradis. Pendant les beaux jours je vais vivre là avec Tammy. Ça fait plusieurs mois que je suis avec elle mais je ne voulais pas t'en parler avant d'être sûr que ce soit du sérieux, elle et moi. Maintenant ça l'est : d'ici quatre à cinq mois, tu seras tonton. Je t'écris très vite pour t'en dire plus.

Je suis heureux et je t'embrasse.

Greg.

P-S : Ne parle de Tammy à personne, s'il te plaît. Elle est si parfaite que j'ai peur qu'elle ne soit qu'une illusion, une créature onirique qui n'existe que pour moi. Je veux qu'elle reste mon étoile secrète, celle dont je suis le seul à connaître le nom. Avec toi.

Bill glissa à nouveau la carte dans l'enveloppe et, cette fois-ci, il la scella. Tant de sentiments se bousculaient dans son esprit à cet instant : la honte, l'impuissance, la révolte... Il tremblait. Alan s'approcha et lui passa la main dans le dos pour l'apaiser.

— Ça va aller, monsieur Herrington ?

Bill secoua violemment la tête.

— Non, dit-il d'une voix sourde, j'ai encore une chose à faire... Il a posé le bouquet et le mot ici parce qu'il ne savait pas où ils sont enterrés... parce qu'il se doutait que je reviendrais par ici, et que moi je sais où déposer les fleurs...

Alan semblait n'avoir compris qu'une partie de la phrase.

— Comment ça, « ils » ? demanda-t-elle.

— Suivez-moi, répondit Bill qui tenait le bouquet serré contre lui.

Ils marchèrent quelques centaines de mètres dans la forêt obscure. Le vent courait entre les arbres en fredonnant un refrain scandalisé qui racontait les événements qui avaient marqué Mohegan Island quelque vingt années plus tôt.

Dans la pénombre, Bill crut voir se faufiler une masse discrète, à la fois imposante et légère. Il aurait pu jurer que deux billes de verre avaient brièvement étincelé dans le faisceau de sa lampe de téléphone.

Ils arrivèrent enfin au lieu recherché par Bill. Pourquoi avait-il choisi de les inhumer dans un endroit si reconnaissable ? Savait-il alors que, d'une manière ou d'une autre, il serait amené à revenir sur cette tombe de fortune ?

Il se pencha et déposa le bouquet, puis il caressa le sol moussu comme on touche le marbre froid d'une pierre tombale : c'est ce qui se rapproche le plus d'une étreinte quand les fantômes se refusent obstinément à nos bras. Il gratta un peu de terre afin de glisser l'enveloppe dans le sol avant de libérer les fleurs et de les disposer au-dessus des morts. Avec le temps elles se décomposeraient, et s'immisceraient jusqu'à eux, tout comme la carte.

— Je suis tellement désolé, murmura Bill, tellement désolé.

Après plusieurs minutes de recueillement, Alan et lui rebroussèrent chemin. Un coup de vent emporta le morceau de papier argenté qui voleta devant eux et se fraya un chemin jusqu'au cœur de l'île.

Lorsqu'ils furent de retour dans l'ancien bâtiment, ils s'installèrent l'un contre l'autre de façon à ne pas avoir trop froid. Comme Bill avait encore son sac de voyage avec ses affaires, ils purent s'en recouvrir.

Alan n'avait montré aucune hésitation à se pelotonner contre Bill : elle avait confiance en lui, malgré tout ce qu'elle avait appris sur son compte au cours des derniers jours, et tout ce qu'elle soupçonnait désormais. De son côté, Bill comprenait que l'affection qu'il portait à la jeune fille n'avait rien d'infamant : c'était une forme d'amitié pure comme celle qu'il éprouvait pour Kirkpatrick.

L'obscurité est mère de bien des confessions, et Bill commença à parler sans même s'en rendre compte.

— Ce soir-là, dit-il, j'ai ressenti une colère terrible quand j'ai vu ce type qui m'observait pendant que je faisais l'amour à Mary. J'étais ivre : peut-être que cela a perturbé ma perception du temps, et qu'il ne nous regardait pas depuis longtemps, mais j'étais furieux et je crois qu'il l'a senti. C'est pour ça qu'il s'est enfui. Neal était à quelques dizaines de mètres de nous, entre le campement et le bâtiment, et il m'a entendu insulter le vagabond. Je crois bien que Mary aussi a poussé un cri mais je ne m'en souviens plus. J'ai remonté mon pantalon et je me suis précipité à la poursuite de l'autre. Avec le recul, je me dis que c'était ridicule, que ça n'aurait pas changé grand-chose si je l'avais laissé déguerpir. Mais en fait, je crois que je lui en voulais parce qu'il m'avait vu, parce qu'il avait été témoin de ce que je faisais, et que je me suis senti dégueulasse. Toujours est-il que le type était rapide et que je l'ai perdu de vue. De son côté, Neal aussi s'était mis à courir, et c'est dans la direction où il allait que j'ai entendu crier. Un cri aigu, celui d'une femme. Je crois bien que c'est ce son qui s'est imprimé avec le plus de force dans ma mémoire, et que c'est pour ça que je ressens toujours une forme de terreur quand j'entends hurler une femme, dans un film ou dans la vraie vie. J'ai ressenti de l'effroi à ce moment. J'ai su que quelque chose s'était passé. Je suis allé à la rencontre de Neal, le plus vite possible et je l'ai trouvé : il était tétanisé. Il était sur une hauteur et fixait quelque chose en contrebas. « Elle est tombée, disait-il, je voulais pas l'effrayer mais elle a eu peur et elle est partie en courant et elle est tombée. » Il était complètement hystérique : en venant à mon aide, il avait croisé la route de cette pauvre fille et dans l'agitation générale elle n'avait pas vu où elle allait. Je suis descendu voir si elle n'avait rien de cassé mais quand je l'ai trouvée, je n'ai pu que constater qu'elle était morte : elle avait dû se briser la nuque, je pense. Un horrible accident. Neal n'avait pas bougé. Il n'arrêtait pas de geindre et de me demander : « Est-ce qu'elle va bien ? » toutes les dix secondes. Moi, je ne répondais pas. Je ne savais plus quoi dire. C'est alors que j'ai entendu une voix s'élever derrière moi. « Vous l'avez tuée. » Il était revenu vers nous et maintenant il me toisait de toute sa hauteur, moi à genoux près du cadavre de sa compagne, lui sur un tertre herbeux. « Elle est tombée, j'ai dit, c'était un accident… elle a eu peur et elle est tombée… » Mais il n'écoutait pas, c'était comme si je n'étais **pas** là. Il s'est approché et s'est penché vers elle. Il s'est mis à pleurer et à lui parler mais on ne comprenait rien à ce qu'il disait. Neal, toujours au même endroit, s'était mis à pleurer lui aussi. Au bout d'un moment, le type s'est retourné vers moi. Il faisait sombre c'est vrai, mais je pouvais voir l'éclat mauvais qui brillait dans ses yeux. « Vous l'avez tuée, espèce d'ordure ! » a-t-il répété. Moi, j'ai seulement pu dire, encore et encore, que c'était un accident, mais il n'écoutait pas. Il s'est fait menaçant. « Ma famille, ils sont pleins de fric, ils vont tous vous faire foutre en prison. » Ça sonnait tellement vrai que j'ai été pris de panique. Je me suis mis à hurler plus fort que c'était un accident mais lui il continuait. « Toi et tes copains, vous êtes finis ! » Alors je l'ai bousculé et il a répliqué. Je ne sais plus comment c'est arrivé mais je lui ai asséné un coup de poing assez violemment dans la mâchoire pour l'assommer. Il est tombé sur le dos et je me suis jeté sur lui. Il marmonnait encore et toujours qu'on était tous finis, qu'on irait en prison, alors j'ai voulu le faire taire. J'ai mis mes mains autour de son cou et j'ai serré. Il était dans les vapes parce qu'il avait dû se cogner dans sa chute et il ne s'est pas beaucoup débattu. Ça a duré un temps infini. J'étais horrifié par ce que j'étais en train de faire mais je ne voulais pas arrêter avant qu'il soit mort. Quand ç'a été le cas, j'ai eu l'impression de vraiment retourner sur terre, de m'écraser la gueule contre l'écorce terrestre, même. C'est quand j'ai senti son absence de réaction que j'ai compris. Vous savez, Alan, la peau, la chair d'un homme qui vient de mourir, ça possède une texture particulière, c'est quelque chose de répugnant que je n'oublierai jamais. Quand je suis allé vers Neal, je lui ai dit ce que je venais de faire. J'ai juste dit : « Tout va bien, je l'ai tué. » Si bizarre que ça puisse paraître, ça l'a rassuré. Je lui ai dit qu'il fallait qu'on rejoigne Mary en vitesse et qu'on s'occuperait de les enterrer plus tard. Il était comme en pilotage automatique, et moi aussi d'ailleurs. Tout est passé comme une lettre à la poste avec les autres. Je suis revenu seul sur Mohegan Island le surlendemain : Neal s'était défilé. Je suis d'abord allé dans les bâtiments désaffectés : à la lumière du jour, j'ai vu des tas d'affaires entreposés dans la pièce où Mary et moi avions fait l'amour, et j'ai compris : le type n'était pas venu se rincer l'œil, il voulait seulement récupérer les affaires de sa petite amie, parce que c'était là qu'ils vivaient, tous les deux…

Bill reprit son souffle. Il avait l'impression de raconter l'histoire d'un autre homme. Il aurait tant souhaité que ce fût le cas.

— Et puis je suis retourné dans la forêt, continua-t-il, et j'ai presque été surpris de les trouver là, par terre, comme on les avait laissés. J'avais pris soin de les placer l'un à côté de l'autre, comme deux gisants immortalisés dans le marbre. Les voir en plein jour m'a causé un choc terrible, comme si je venais nettoyer la scène d'un crime commis par un autre. Ils étaient si pâles, presque bleus, et leur peau semblait avoir pris la texture du plastique ou d'une autre matière imperméable. Ce qui m'a horrifié surtout, c'est de voir le renflement du ventre de la jeune femme. Depuis que le drame s'était produit, ce fut le seul moment où j'ai vraiment craqué. Je suis tombé sur le cul, lâchant la pelle et la pioche que j'avais apportées et je me suis mis à pleurer comme un gosse. J'avais sous les yeux la preuve qu'il y avait eu une troisième victime, et que c'était sans doute la plus importante. Je me suis tué à la tâche pour leur creuser une tombe. J'ai même brisé le manche de la pelle : j'ai dû finir à la main. J'ai cassé presque tous mes ongles et pendant des semaines j'ai passé des jours entiers à me laver les mains parce que j'avais l'impression qu'elles étaient toujours pleines de terre. Et soudain, au bout d'un mois, j'ai cessé d'y penser. J'ai remisé tout ça dans un coin de mon esprit et tout est resté en sommeil jusqu'à il y a quelques semaines. J'ai été tellement idiot de croire que tout ça resterait gentiment endormi jusqu'à la fin de mes jours…

Il ne dit plus un seul mot par la suite. Il avait l'impression de s'être vidé d'un poison qui le consumait lentement depuis trop longtemps. Pas une fois Alan n'avait été tentée de l'interrompre.

— C'est terrible, dit-elle dans un souffle.

Elle ne le condamna pas, ne chercha pas non plus à l'absoudre. Elle le plaignit certainement, mais pas une seconde elle ne ressentit pour lui du mépris. Quand elle comprit qu'il n'ajouterait rien, elle se blottit contre lui et sombra doucement dans le sommeil. Bill devina qu'elle s'était endormie.

Dehors et tout autour de l'île, la tempête se déchaînait. Il était épuisé mais ne parvenait pas à trouver le sommeil. Il voulut entendre la voix de Lisa, et celle de Kirkpatrick aussi, juste pour vérifier si, débarrassée des oripeaux du mensonge et de la comédie, il serait capable d'en reconnaître l'intonation chaleureuse et mélancolique. Ou alors celle-ci lui paraîtrait dure et glaciale, et cela anéantirait Bill.

Bien entendu, il n'y avait pas de réseau : Mohegan Island était bien trop loin de la côte. Peut-être était-ce pour le mieux, après tout.

Il n'en pouvait plus d'être assis, adossé au béton froid et humide. Sans réveiller Alan, il se leva. Son bras le faisait souffrir énormément. Il ôta son manteau et le déposa sur la jeune fille avec une grande douceur.

Il sortit du bâtiment et marcha jusque vers le rivage de l'île. Il sentit à peine la caresse glaciale du vent.

Les dernières bourrasques venaient de chasser les nuages et une lune pleine et si proche qu'on aurait cru pouvoir la toucher du doigt versait sur l'océan ses rayons lactescents. En marchant, Bill distinguait au sol l'ombre nette des grands arbres projetée par cette lumière crue et irréelle.

Puis il y eut un bruit dans les buissons et Bill vit à nouveau cette longue masse grise se couler entre les arbres, parallèlement à lui.

Le loup ralentit, tourna brièvement la tête vers Bill puis accéléra avant de sortir de la forêt.

Bill suivit le chemin tracé par l'animal jusqu'au rivage et s'immobilisa, face à l'océan. Le remous violent des vagues pulvérisait le reflet de la lune en plusieurs millions de morceaux scintillants. Ce spectacle hypnotique lui serra le cœur. Bien qu'il fût seul, il voulut dire quelque chose. À qui? À quoi? Il l'ignorait, mais cette ultime parole resta bloquée dans sa gorge nouée par l'émotion. Il regarda à ses pieds et autour de lui et ses yeux tombèrent sur une grosse pierre. Il s'agenouilla, inspira un bon coup et fracassa son bras plâtré sur le rocher.

Il poussa un cri à réveiller les morts mais le vent était si bruyant qu'ils ne l'entendirent pas.

C'était un spectacle pathétique, vraiment, d'autant plus qu'il avait à peine réussi à fendre le plâtre. Sous la coque désormais branlante qui l'enserrait, il sentait son bras fragile sur l'os qui n'avait pas encore eu le temps de se ressouder.

La douleur irradiait jusque dans ses mâchoires; elle n'était rien comparée à sa détresse. Il pleurait comme un enfant, le visage torturé par une grimace grotesque et la morve au nez. Il avait froid et tremblait de tous ses membres.

De nouveau, il retint sa respiration et fixa le rocher baigné de clair de lune d'un regard plein de haine, puis, tout en poussant un cri animal venu tout droit de ses entrailles et de la nuit des temps, il frappa à nouveau le plâtre sur la pierre. Cette fois-ci, il vola en éclats.

Il se laissa tomber sur le sol, manquant de s'évanouir sous le coup de la douleur, et pourtant, il était heureux. Il venait seulement de comprendre qu'il était libre.

Il avait si froid.

Autour de lui, tout avait changé. Le loup était retourné pour toujours au cœur de la forêt de

Mohegan Island. Pour la première fois de sa vie, Bill ressentit le besoin de s'adresser à une force obscure, muette et invisible, qu'il n'aurait pas su définir. Il aurait voulu la remercier mais il comprit qu'aucun mot ne lui permettrait d'exprimer la gratitude qui l'envahissait en cet instant précis.

Il pensa à Lisa et à ses filles avec une intensité inédite. Ce fut à ce moment, au cœur de la nuit insulaire balayée par les bourrasques chargées d'embruns et du murmure des morts, qu'il prit conscience de l'amour qu'il éprouvait pour elles. Durant vingt ans, il n'avait été qu'un menteur, un comédien de pacotille qui avait réussi à duper le monde entier – y compris lui.

Il était allongé face au ciel et contemplait les étoiles. Un vertige de douleur et de grâce mêlées les faisait danser sur l'océan d'encre de l'univers infini.

Tout était terminé pour lui, désormais.

Il se releva, en proie à l'ivresse de l'homme qui vient de recouvrer la liberté, et avança vers les eaux furieuses et déchaînées.

XXIV

Alan s'éveilla dans le matin calme et apaisé. Le temps pour elle de reprendre ses esprits, elle crut être en train de rêver.

Elle ne s'inquiéta pas immédiatement de l'absence de Bill même si elle remarqua qu'il avait laissé son téléphone portable auprès d'elle.

Elle se leva et grimaça : elle était tout ankylo sée par sa nuit passée assise dans un bâtiment abandonné.

Elle fouilla dans son sac où elle avait toujours une bouteille d'eau et quelques gâteaux et elle attendit.

Ce fut quand midi approcha qu'elle sentit l'angoisse monter en elle.

Elle se risqua à appeler Bill sans trop s'éloigner des bâtiments puis décida de se rendre près du bateau afin de voir s'il ne l'attendait pas là-bas.

Mais il n'y avait personne. Elle attendit encore un moment avant de remarquer quelque chose d'anormal près d'une pierre. Elle comprit vite qu'il s'agissait des débris du plâtre de Bill.

En quatrième vitesse, elle tira le bateau jusqu'à l'océan et retourna en larmes sur le continent.

*

On retrouva le corps de Bill sur une plage à une quinzaine de kilomètres vers le sud. C'était trois jours après qu'on avait signalé sa disparition.

Il repose à présent dans le même cimetière que ses beaux-parents et son beau-frère, dans un caveau situé à quelques mètres d'eux seulement.

Environ six mois après, son père s'éteignit lui aussi.

Toutes les femmes de sa famille, désormais, étaient veuves.

Quand les autorités lui confirmèrent qu'on avait bien retrouvé le corps de son mari, il fut impossible à Lisa de définir clairement ce qu'elle ressentit. Il s'agissait d'un mélange de détresse, de consternation et de reconnaissance. Elle savait au plus profond d'elle-même qu'elle n'aimerait jamais aucun autre homme comme elle avait aimé Bill Herrington, mais elle se sentit libérée d'un poids : elle savait maintenant qui il était vraiment.

Lorsqu'elle téléphona à Mary pour lui annoncer la nouvelle, cette dernière ne trouva rien d'autre à dire que : « C'est peut-être mieux ainsi », comme si Bill était mort d'une longue et douloureuse maladie. Lisa ne protesta pas, et elle partagea même cette idée, au bout du compte.

Le jour où l'on enterra son mari, Lisa Herrington glissa dans son cercueil la lettre que Kirkpatrick avait laissée à son intention avant de partir. Elle n'avait pas souhaité la lire. Après tout, elle ne lui était pas adressée.

Cher Bill, espèce d'ordure,

Je m'en veux un peu de partir sans crier gare mais je ne sais pas comment je réagirais si je devais te faire face maintenant que tu sais exactement qui je suis.

Rends-toi compte, Bill : avant de publier mon bouquin, je n'avais qu'une envie — me venger. Mais quand je l'ai eu en main et que je l'ai feuilleté, je me suis demandé : « À quoi bon ? » Mieux valait laisser pisser, comme disait souvent mon vieux qui ne racontait pas que des conneries. Et puis un jour, devine quoi ? Une étudiante me contacte parce qu'elle veut organiser une rencontre entre moi et les élèves de sa prépa. Sous le patronage de M. Herrington en personne. Comment résister à cet appel du destin ? Comment résister à cette provocation suscitée par ta seule mauvaise conscience ? Par ta peur ?

En toute franchise, je pensais que le simple fait de me trouver en ta présence se traduirait par une avalanche de coups de poing dans la gueule jusqu'à te transformer la tronche en steak tartare. Mon vieux, tu n'imagines même pas à quel degré a pu monter la haine que j'éprouvais pour toi. Et pourtant, j'ai réussi à jouer la comédie du type naïf et même sympathique à ton égard. J'avais échafaudé tout un plan d'une perversité machiavélique au terme duquel je t'aurais affronté sur Mohegan Island. On devait se battre à la fin, dans mon esprit. Je t'aurais tué et personne n'en aurait jamais rien su. Ton cadavre aurait pourri au cœur de l'île. Mort sans sépulture. Je voyais là une forme de justice poétique. Car une chose est sûre : tu es bien le putain de lâche égoïste que m'a décrit ta copine Mary. Et pourtant, il s'est passé quelque chose : je t'ai rencontré, j'ai appris à te connaître, et j'ai compris pourquoi les gens t'aimaient – Lisa, Neal, Alan, Teresa, et même Mary, bien qu'elle s'en défende. Ça me fout en l'air de le dire, mais j'ai bien eu l'impression qu'en dépit de tout le mal que tu as fait autour de toi avec ton silence et tes mensonges, tu es quand même un type bien, à de nombreux égards.

Je ne sais même pas comment il est possible que j'écrive une phrase pareille à propos de celui qui a tué mon frère, et pourtant c'est la vérité.

J'ai passé de très bons moments avec toi, Bill, au point que j'ai parfois oublié pourquoi j'étais venu jusqu'à toi. Même si tu n'en es pas conscient, j'ai eu l'impression plus d'une fois que ce qui s'est passé sur Mohegan Island a vraiment bousillé ton existence. J'ai rarement eu l'occasion de rencontrer un homme aussi malheureux que toi, Bill, toujours sur le qui-vive, avec dans les yeux une terreur d'enfant persuadé qu'il a commis le pire des crimes. C'était ton cas, même si je suis conscient d'une chose : tout ça reste le résultat d'un malheureux accident qui a dégénéré parce que des gosses ont été pris de panique.

Je m'apprête à te faire des adieux fermes et définitifs – et je ne sais toujours pas si j'ai envie d'entendre ta version des faits de vive voix ou pas. De toute façon, ça ne ramènera jamais Greg ni sa femme.

En attendant, le mieux pour moi est de continuer à écrire. Peut-être que mon prochain bouquin sera sur toi : j'essaierai de te dépeindre tel que tu es et tel que je te connais. On verra bien ce que ça donnera. Quelque chose me dit que même si j'éprouve encore des sentiments pas toujours charitables à ton égard, ça ne sera pas un portrait complètement à charge, alors pas d'inquiétude, prends soin de toi, et tâche de te réconcilier avec toi-même.

Oh, un dernier mot avant les adieux : je vais aller sur Mohegan Island dire au revoir à mon frère, à son étoile et au gamin gros comme un pamplemousse qu'elle portait et qui n'a jamais eu l'occasion de voir la lumière du jour. Ça va te paraître dingue mais je n'ai jamais mis les pieds là-bas alors que je sais depuis le début que l'aventure de Greg a pris fin sur cette île. Je vais déposer un bouquet en leur mémoire. Je le mettrai là où Mary et toi avez baisé pendant que Lisa cuvait son vin (tu es vraiment le pire goujat que j'aie jamais rencontré, Bill Herrington). Toi qui sais où se trouvent Greg et sa copine, tu pourrais mettre les fleurs au bon endroit, s'il te plaît ? Je ne les ferai pas exhumer pour leur donner une tombe digne de ce nom, parce que j'ai repensé à la dernière chose qu'il m'a écrite et je me suis dit que finalement, il était bien là où il était, à Mohegan Island, son paradis sur terre, avec sa femme et son gamin.

Dans sa dernière carte, il me demandait de garder le secret concernant sa copine, et j'aimerais que tu respectes son souhait, toi aussi, même si maintenant que j'ai pris de l'âge, je vois ce qu'une telle demande contenait de romantisme adolescent un peu mièvre. Qui sait ? Ils auraient peut-être même fini par se quitter. Mais le gamin que je suis encore un peu tout au fond de moi veut croire que non. D'ailleurs, ce gosse que j'étais a raison : ils sont morts ensemble. Ils ont l'éternité pour eux : autant les laisser en paix, là-bas, tous les trois, loin de la rumeur d'un monde qui déplairait davantage encore à Greg aujourd'hui qu'il y a plus de vingt ans. Je suis raisonnable, tu vois ? J'ai presque accepté l'idée que je ne le verrai plus jamais.

Voilà, Bill, je dois arrêter d'écrire cette lettre parce que, maintenant, je chiale comme un veau.

Je te laisse et te dis quand même à bientôt, dans cette vie ou dans une autre, quelle importance ?

Je t'embrasse.

Dick.

P-S : Je suis à peu près sûr que c'est toi qui as bousillé ma tablette. Ce genre de truc ne grille pas comme ça.

Note de l'auteur

Dans la langue des Lenapes, peuple amérindien du New Jersey, Mohegan signifie « loup ».

VOUS AVEZ AIMÉ CE LIVRE ?
Découvrez ou redécouvrez au **Livre de Poche**

L'AUTEUR FAVORI DE BILL HERRINGTON

LE TOUR D'ÉCROU
HENRY JAMES
N° 3086

Le Tour d' écrou est unanimement considéré comme le chef-d'œuvre d'Henry James. Borges a même écrit que, selon lui, « aucune époque ne possède des romans de sujet aussi admirable que Le Tour d' écrou ». Une intrigue serrée, un mode narratif subtilement ouvragé, des personnages plus vrais que nature, une atmosphère étouffante : le fantastique rejoint le quotidien et s'impose comme une version possible de la réalité.

MARI ET FEMME, QUI ÊTES-VOUS DONC ?

LES APPARENCES
GILLIAN FLYNN
N° 33124

Amy et Nick forment en apparence un couple modèle. Victimes de la crise financière, ils ont quitté Manhattan pour s'installer dans le Missouri. Un jour, Amy disparaît et leur maison est saccagée. L'enquête policière prend vite une tournure inattendue : petits secrets entre époux et trahisons sans importance de la vie conjugale font de Nick le suspect idéal. Alors qu'il essaie lui aussi de retrouver Amy, il découvre qu'elle dissimulait beaucoup de choses, certaines sans gravité, d'autres plus inquiétantes. Après Sur ma peau et Les Lieux sombres, Gillian Flynn nous offre une véritable symphonie paranoïaque, dont l'intensité suscite une angoisse quasi inédite dans le monde du thriller. Best-seller international, Les Apparences a fait l'objet d'une adaptation cinématographique de David Fincher sous le titre Gone Girl avec Rosamund Pike et Ben Affleck dans les rôles principaux

QUAND LA FOLIE GUETTE
UN ÉCRIVAIN À SUCCÈS

STEPHEN KING
SAC D'OS
N° 15037

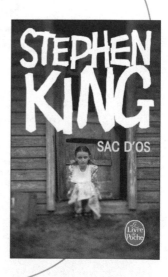

Reclus à Sara Laughs, sa maison de campagne, près d'un lac, Mike Noonan n'écrit plus. Depuis la mort brutale de sa femme Jo, enceinte, ce romancier à succès connaît l'angoisse de la page blanche. La rencontre de la petite Kyra, puis de sa mère, Mattie, jeune veuve en butte à la malveillance de son richissime beau-père, amorce-t-elle pour Mike un nouveau départ ? Il le croit, mais c'est compter sans les ombres qui hantent Sara Laughs... En devenant l'allié de Mattie et de Kyra, Mike a bravé les forces de l'enfer. Elles vont se déchaîner contre lui, dans les pages enfiévrées de ce roman salué par la critique mondiale comme le chef-d'œuvre de Stephen King.

Le Livre de Poche s'engage pour
l'environnement en réduisant
l'empreinte carbone de ses livres.
Celle de cet exemplaire est de :
400 g éq. CO_2
Rendez-vous sur
www.livredepoche-durable.fr

**PAPIER À BASE DE
FIBRES CERTIFIÉES**

Composition réalisée par Belle Page

Achevé d'imprimer en septembre 2017 en Italie par
Grafica Veneta
Dépôt légal 1re publication : janvier 2018
LIBRAIRIE GÉNÉRALE FRANÇAISE
21, rue du Montparnasse – 75298 Paris Cedex 06

27/0645/6